La bibliothèque Gallimard

Source des illustrations
Couverture : Brancusi, *Le baiser* © ADAGP, 2000. Muzeul de Arta, Craiova.
Archives Gallimard : 201. Enguerand : 50, 183. Le Livre de Poche : 15. RMN : 7, 167, 170.
Roger Viollet : 16, 19. © ADAGP, 2000 : 170.

Sophocle

Œdipe roi

suivi de

Prolongements

Étude du mythe d'Œdipe à travers les âges

Lecture accompagnée par
Guy Belzane
professeur agrégé de lettres modernes
en lycée à Sarcelles

La bibliothèque Gallimard

Florilège

« Je me charge de la cause à la fois de Thèbes et du dieu. » (Œdipe)

« Je voue le criminel, qu'il ait agi tout seul, sans se trahir, ou avec des complices, à user misérablement, comme un misérable, une vie sans joie. » (Œdipe)

« Et cependant j'arrive, moi Œdipe, ignorant de tout, et c'est moi, moi seul, qui lui ferme la bouche, sans rien connaître des présages, par ma seule présence d'esprit. » (Œdipe)

« Le temps seul est capable de montrer l'honnête homme, tandis qu'il suffit d'un jour pour dévoiler un félon. » (Créon)

« Tu verras que jamais créature humaine ne posséda rien de l'art de prédire. » (Jocaste)

« La démesure enfante le tyran. » (Le chœur)

« Hélas, hélas ! ainsi tout à la fin serait vrai ! Ah ! lumière du jour, que je te voie ici pour la dernière fois, puisque aujourd'hui, je me révèle le fils de qui je ne devais pas naître, l'époux de qui je ne devais pas l'être, le meurtrier de qui je ne devais pas tuer ! » (Œdipe)

« Gardons-nous d'appeler jamais un homme heureux, avant qu'il ait franchi le terme de sa vie sans avoir subi un chagrin. » (Le coryphée)

Ouvertures

Il est des noms si célèbres qu'ils ont presque fini par faire oublier les personnages qui les portent (ils sont d'ailleurs souvent devenus des noms propres), à plus forte raison les œuvres dans lesquelles ils ont vu le jour. Sans doute leur universelle renommée témoigne-t-elle de l'exemplarité de ce qu'ils incarnent. Mais finalement, leur sens profond s'est perdu, enfoui sous l'accumulation des clichés et des malentendus. Ces noms n'évoquent plus alors que quelques notions vagues, quelques formules vides. Prononcez celui d'Œdipe, on vous répondra : Sphinx... inceste... yeux crevés... et le complexe bien sûr, le (trop) fameux complexe qui a tant fait pour la mémoire du roi de Thèbes et... pour son oubli, qui a ressuscité et vulgarisé sa légende, et, dans le même temps, occulté une bonne part de sa richesse et estompé le souvenir des œuvres qui nous l'ont transmise. C'est à celles-ci que nous vous proposons de revenir, et d'abord à la première d'entre elles, *Œdipe Roi*, le chef-d'œuvre de Sophocle, la tragédie des tragédies, modèle du genre durant près de vingt-cinq siècles, et toujours à l'affiche aujourd'hui.

Les données initiales

Œdipe avant Sophocle

Vers 430 avant Jésus-Christ, lorsque Sophocle s'attaque à l'histoire d'Œdipe, celle-ci appartient depuis longtemps à l'univers culturel grec. Environ quatre siècles plus tôt, dans l'*Iliade*, Homère évoque déjà la lutte fratricide d'Étéocle et Polynice. Mais c'est au chant XI de l'*Odyssée*, lorsque Ulysse, aux Enfers, rencontre Épicaste, la mère d'Œdipe, que nous est conté le cruel destin de ce roi maudit, coupable d'avoir tué son père (parricide) et épousé sa mère (inceste). Par la suite, plusieurs auteurs, comme Hésiode (VIIe siècle avant J.-C.) ou Pindare (Ve siècle avant J.-C.), y font référence. Sans compter toutes les œuvres perdues : des épopées, comme l'*Œdipodie* et la *Thébaïde*, dont nous ignorons presque tout, ou des tragédies, comme *Laïos* et *Œdipe* d'Eschyle (525-456), les deux premiers volets d'une trilogie dont ne nous est parvenue que la troisième pièce : *Les Sept contre Thèbes*. Et il y en eut sans doute beaucoup d'autres, dont toute trace s'est effacée...

L'histoire d'Œdipe

Ce sont là les empreintes ténues d'une légende qui, reconstituée et provisoirement fixée (car il existe quantité de variantes), donne à peu près ceci :

Le premier oracle – Il a été prédit à Laïos, roi de Thèbes, et à sa femme Jocaste, que s'ils avaient un fils, celui-ci tuerait son père et épouserait sa mère. Un fils leur vient pourtant (Laïos, ivre, aurait un soir violé la reine). Ils décident de le faire mourir, en l'exposant aux bêtes sauvages sur le mont Cithéron, près de Thèbes, après lui avoir percé les pieds pour l'attacher. Incapable de sacrifier le nouveau-né, le serviteur chargé de l'affreuse mission le confie à un berger.

Œdipe à Corinthe – Ce berger l'emmène dans la ville de Corinthe, où il est adopté par le roi Polybe et sa femme Péribée (devenue Mérope chez Sophocle), qui sont sans enfants. Ils le nomment Œdipe (*oïdipous*, en grec, signifie : « pieds enflés »), allusion aux séquelles de sa mutilation. Élevé comme fils du roi, le garçon grandit sans souci. Mais un jour, des rumeurs malveillantes mettent en doute sa naissance royale.

Le second oracle – Inquiet et furieux, Œdipe part pour Delphes consulter la Pythie, l'oracle d'Apollon. À la question de son identité, celle-ci ne répond pas, se contentant de répéter la prédiction faite à ses parents. Effrayé, il décide de ne pas retourner à Corinthe et de fuir dans la direction opposée.

Le meurtre – En chemin, il se prend de querelle avec un voyageur, et le tue (c'est Laïos, son père, mais il ne le sait pas). Il arrive devant Thèbes. La ville est terrorisée par le Sphinx, ou plutôt la Sphinx (on dit parfois aussi la

Sphinge et visiteur : ce motif, qui illustre le thème du face-à-face de l'homme avec son destin, a été souvent traité par les céramistes grecs. Mais le « monstre » n'est pas né en Grèce : faites des recherches sur sa représentation dans l'art égyptien.

Sphinge), monstre ailé à corps de lion, et à tête et buste de femme, qui pose des énigmes insolubles, et dévore les malheureux qui n'ont pas su répondre. Celui qui la vaincra recevra le trône en épousant la reine.

L'énigme – Œdipe se propose de résoudre l'énigme : qui marche tantôt à quatre, tantôt à deux, tantôt à trois pattes, et dont la faiblesse est proportionnelle au nombre de pattes ? Œdipe trouve la réponse : c'est l'homme, qui, nourrisson, se déplace à quatre pattes, adulte marche sur ses deux pieds, et vieillard s'aide d'une canne. De dépit, la Sphinx se tue. La ville est délivrée. Les noces d'Œdipe et de Jocaste sont célébrées, et Œdipe devient roi de Thèbes. Le couple a quatre enfants : Étéocle, Polynice, Antigone et Ismène.

La peste – Des années plus tard (c'est ici que commence l'argument de Sophocle), la peste s'abat sur la ville. L'oracle, consulté, répond qu'un crime est resté impuni, et qu'il faut rechercher les meurtriers de Laïos.

l'enquête – Œdipe mène l'enquête, aidé de Créon, frère de Jocaste, et du devir aveugle Tirésias. Celui-ci suggère le nom du coupable au roi, qui ne veut pas l'entendre. Intervient le serviteur qui avait emmené l'enfant, puis le berger qui l'avait recueilli. La vérité se révèle : Œdipe a bien tué son père et épousé sa mère. Jocaste se pend. Épouvanté, Œdipe se crève les yeux et part en exil.

La destinée des Labdacides

Cependant, cette aventure tragique ne prend tout son sens que si on la rattache à l'ensemble plus large dont elle n'est qu'un élément : le « cycle de Thèbes », ou la destinée des Labdacides, du nom de Labdacos (« le boiteux »), petit-fils de Cadmos (le premier roi de Thèbes), père de Laïos et grand-père d'Œdipe (voir l'arbre généalogique). À la mort de Labdacos, son fils, Laïos, chassé de Thèbes, doit se réfugier à la cour du roi Pélops. Là, il tombe amoureux du fils du roi, le jeune et beau Chrysippos, qu'il enlève et contraint à des relations sexuelles. De honte, Chrysippos se suicide, et Pélops maudit Laïos, avec l'assentiment des dieux, notamment Apollon : en châtiment, la Sphinx est envoyée à Thèbes ; et la lignée des Labdacides devra s'interrompre, ou sombrera dans l'horreur.

Arbre généalogique de la famille des Labdacides

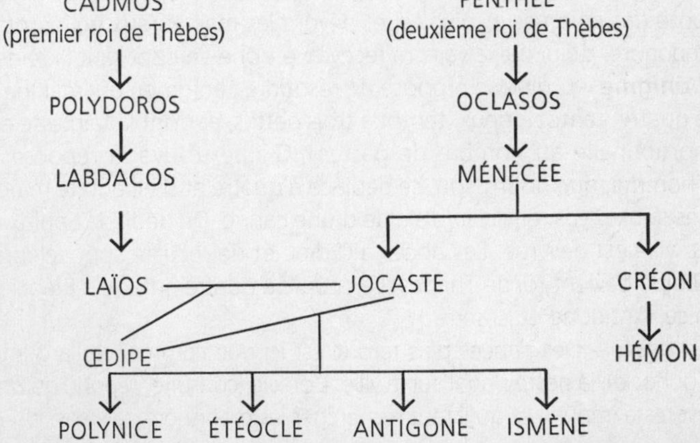

Les malheurs d'Œdipe, on le voit, trouvent leur origine en amont, dans les fautes de son père : au crime sexuel, celui-ci a ajouté la désobéissance, en bravant l'interdit divin. Mais l'histoire n'est pas terminée, car il faut que la prédiction s'accomplisse jusqu'au bout : et c'est à Thèbes même que la famille des Labdacides s'éteindra, dans le combat mortel que se livreront les deux fils d'Œdipe, Étéocle et Polynice (ici intervient Antigone, mais ceci est une autre histoire !...).

La légende d'Œdipe est-elle un mythe ?

Le mythe : une notion problématique

Peut-être avez-vous remarqué que, jusqu'ici, nous nous sommes abstenus d'user d'un terme qui vient pourtant immédiatement à l'esprit dès qu'il est question d'Œdipe. Nous avons parlé d'histoire, de légende... pas de mythe. Il est temps à présent d'introduire cette notion, délicate, et dont la définition ne va pas sans présenter quelques difficultés.

Première difficulté : le point de vue adopté – Pour la plupart d'entre nous, le mythe est un récit fabuleux. C'est si vrai que d'une chose imaginaire, chimérique, voire tout simplement fausse, nous disons volontiers : « C'est un mythe ! » C'est d'ailleurs cette conception qui a prévalu chez les spécialistes eux-mêmes, rationalistes convaincus, jusqu'à la fin du siècle dernier. Depuis, on s'est avisé que pour comprendre véritablement le mythe, il fallait l'étudier de l'intérieur, donc se mettre à la place de ceux qui y croient, pour qui il s'agit bel et bien d'une **histoire vraie**.

Deuxième difficulté : la matière du mythe – Le grand spécialiste Mircea Eliade définit – non sans réserves et précautions – le récit mythique comme « une histoire sacrée [qui] relate un événement qui a eu lieu dans le temps primordial, le temps fabuleux des "commencements" ». Autrement dit, poursuit Eliade, « le mythe raconte comment, grâce aux exploits des Êtres surnaturels, une réalité est venue à l'existence, que ce soit la réalité totale, le Cosmos, ou seulement un fragment : une île, une espèce végétale, un comportement humain, une institution » (*Aspects du mythe*). C'est ce qu'on appelle un mythe étiologique* (du grec *aitia* : la cause ; l'étiologie est l'étude des origines, des causes premières).

Cette définition restrictive exclut donc apparemment les récits qui ne rapportent pas une création, ainsi que ceux dont l'action est postérieure aux temps originels : on parlera du mythe de Prométhée, mais de la légende d'Hercule. Contre cette limitation un peu abusive, l'habitude a été prise de distinguer les mythes au sens propre, antéhistoriques (avant l'Histoire, c'est-à-dire la mise en branle du temps humain, linéaire et chronologique), des récits ou légendes mythologiques – historiques.

Troisième difficulté : mythe sacré ou mythe littéraire ? – À mesure que le mythe cessait d'être une réalité vivante pour devenir un récit fabuleux, le sens du mot s'est déplacé. On est passé ainsi du mythe sacré au mythe littéraire. Par mythe littéraire, on entend généralement l'histoire d'un personnage qui a fait l'objet de tant d'adaptations et de réécritures – sans doute parce qu'il constituait à la fois un archétype et un modèle de nos comportements, de nos pulsions, de notre imaginaire – que l'on a fini par oublier son créateur, et qu'elle est devenue, à l'instar du mythe proprement dit, une création collective et anonyme. Ainsi peut-on parler du mythe de Tristan, de Don Juan, de Faust, etc. Or, bien que les mythes grecs soient, à l'origine, des mythes sacrés, il faut bien dire que la connaissance que nous en avons est, elle, essentiellement littéraire (voir deuxième partie).

Caractéristiques du mythe

En dépit des obstacles qui viennent d'être évoqués, on peut tenter, sinon de définir véritablement le mythe, du moins d'en dégager quelques-unes des caractéristiques principales :

• Le mythe est un **récit sans auteur**, ou, si l'on préfère, dont l'auteur est collectif, donc anonyme.

• La **transmission** du mythe est (du moins tant que le mythe est vivant) **orale**.

• Ce mode de transmission entraîne une **multiplicité de variantes**, et, comme le rappelle l'ethnologue Claude Lévi-Strauss, un mythe est

* Les mots signalés par un astérisque sont définis dans le glossaire.

constitué de la totalité de ses versions, si différentes soient-elles. Il n'y en a pas de bonnes ou de mauvaises.

• Le mythe est **lié au sacré** : il fait intervenir des êtres surnaturels, dont les dieux.

• Le mythe renvoie généralement aux « premiers temps », aux temps des **origines**, qu'il réactualise, par le truchement du rite. À ce titre, il est souvent fondateur, étiologique.

• C'est un **récit fabuleux** tenu pour véridique par ceux auxquels il s'adresse ; le mythe n'est tenu de respecter ni la logique rationnelle, ni la vraisemblance.

• Le mythe peut être considéré comme **universel** dans la mesure où son contenu a trait, explicitement ou, le plus souvent, symboliquement, aux questions et angoisses fondamentales de l'Homme, telles que la mort, la sexualité, la nourriture, etc. C'est ce qui explique que les spécialistes – les mythologues – aient pu découvrir des mythes communs à des sociétés très éloignées les unes des autres et n'ayant jamais eu aucun contact entre elles.

Œdipe, mythe ET légende

À propos de l'histoire d'Œdipe, on parle presque aussi souvent de légende que de mythe, et autant au sens de mythe sacré que de mythe littéraire. Qu'en est-il au juste ?

Les traits du mythe – Transmis à l'origine oralement, nous avons affaire ici à un récit qui présente bien plusieurs versions : ainsi, pour se limiter à cet exemple, tantôt le roi de Thèbes règne sur la cité jusqu'à sa mort, tantôt il s'exile, accompagné de sa fille Antigone, après s'être crevé les yeux, tantôt il part seul. Dans la version d'Euripide, ce sont les serviteurs de Laïos qui crèvent les yeux d'Œdipe. D'autre part, le sacré y est on ne peut plus présent, à travers les prophéties des dieux et leurs messagers – l'oracle de Delphes et le devin Tirésias. Enfin, il est bien question ici de nos fantasmes les plus enfouis, de nos pulsions les plus archaïques (inceste, parricide), à tel point que, près de vingt-cinq siècles plus tard, Sigmund Freud, le fondateur de la psychanalyse, pourra faire du « complexe d'Œdipe » l'un des moteurs fondamentaux de nos comportements (voir deuxième partie).

Un mythe étiologique? – On objectera, cependant, d'une part que nous ne sommes pas ici dans les « temps primordiaux », et d'autre part que l'histoire d'Œdipe ne fonde rien. Oui et non. Il est vrai que l'action se déroule bien dans le temps historique, humain (Thèbes, Corinthe, Colone et Athènes font partie intégrante de l'histoire grecque), mais par son ascendance, Œdipe est lié aux dieux, donc à l'origine du Monde : Cadmos, aïeul d'Œdipe et fondateur de Thèbes, est né de l'union de Libye et de Poséïdon. Et Libye était elle-même la fille d'Épaphos, né de l'union de Zeus et de Io, jeune fille d'Argos changée en génisse !

En ce qui concerne la seconde objection, il faut se souvenir que dans *Œdipe à Colone*, le roi déchu fait l'objet d'un nouvel oracle : son cadavre apportera la prospérité et la puissance à la cité qui l'accueillera. Bien reçu par Thésée, roi d'Athènes, il meurt à Colone (ville natale de Sophocle), dont il deviendra le protecteur. Mais c'est peut-être en suivant une autre voie, plus abstraite et symbolique, qu'Œdipe peut apparaître comme un fondateur : ni d'une chose ni d'une cité, mais d'une forme de pensée : la philosophie.

La tragédie grecque

La tragédie grecque n'a pas seulement eu une influence considérable sur la littérature et l'art; elle a véritablement nourri, sans que nous en ayons toujours conscience, nos modes de pensée, notre imaginaire, notre vision du monde. Et pourtant elle est née, s'est développée, puis a (presque) disparu dans une période relativement brève et un lieu bien précis : le Vᵉ siècle avant Jésus-Christ, à Athènes. En outre, alors que des dizaines d'auteurs s'y consacrèrent, nous ne la connaissons qu'à travers trois d'entre eux : Eschyle, Sophocle et Euripide, dont ne nous est d'ailleurs parvenue qu'une partie infime de l'œuvre (sept pièces d'Eschyle, sept de Sophocle et dix-sept d'Euripide). Après une longue éclipse, le genre tragique connaîtra une renaissance à l'âge classique (XVIIᵉ et XVIIIᵉ siècles), et, dans une certaine mesure, une autre au XXᵉ siècle (voir Prolongements).

La naissance de la tragédie

L'origine de la tragédie est mal connue, mais à coup sûr religieuse. On pense qu'elle est liée au culte de Dionysos (en grec le mot *tragos* désigne le bouc, animal traditionnellement associé au dieu du vin). Au cours des fêtes dionysiaques (les « dionysies »), on se livrait à des déclamations de poèmes (en particulier les dithyrambes*, hymnes à Dionysos), lesquelles, au fur et à mesure que ces grands défoulements collectifs se fixaient et s'institutionnalisaient, se transformèrent en spectacles, où les monologues, puis les dialogues, prirent peu à peu le pas sur les psalmodies* du chœur.

À partir de -560, le tyran Pisistrate intégra aux dionysies un concours théâtral, où chaque auteur faisait représenter trois tragédies et un drame satyrique, ainsi que des comédies. L'organisation du concours était prise en charge par un haut magistrat, qui choisissait les concurrents, et chaque poète était financé par un riche citoyen – le chorège – associé à la victoire éventuelle de son poulain. Et tous – hommes, femmes, enfants, métèques (non athéniens) – pouvaient assister à la représentation : c'est dire si la tragédie concerna dès le début la cité tout entière !

L'évolution de la tragédie

Les tragiques ont puisé dans le fonds des épopées, des mythes et des légendes, comme les récits homériques, l'histoire des Atrides (Agamemnon, Clytemnestre et leurs enfants Oreste et Électre), et celle des Labdacides, ou encore la légende d'Héraclès. Ces sujets étaient bien connus des spectateurs ; d'ailleurs, la logique des concours et de la compétition poussait les auteurs à se mesurer sur des sujets communs, et la recherche de l'innovation visait moins le contenu que la forme.

Dans les premières tragédies (chez Eschyle), le monologue l'emporte largement sur le dialogue, et le chœur continue de dominer l'ensemble. Un seul acteur incarne tous les personnages, c'est-à-dire trois seulement : le héros, le messager et le devin.

Sophocle va contribuer de façon décisive à l'évolution du genre en multipliant le nombre des acteurs (jusqu'à trois) et des personnages (huit dans *Œdipe Roi)*, et en développant les dialogues. C'est également

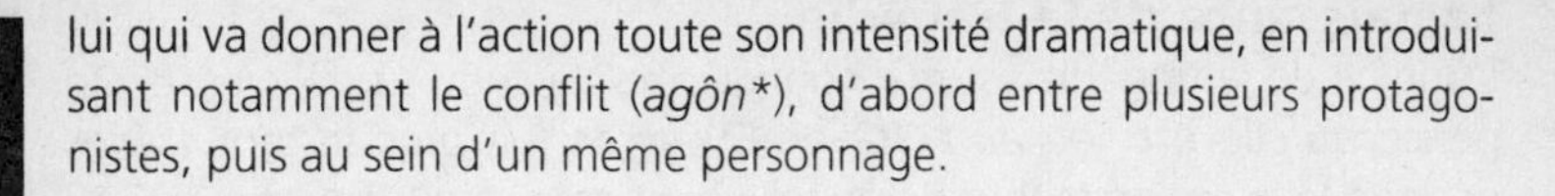

lui qui va donner à l'action toute son intensité dramatique, en introduisant notamment le conflit (*agôn**), d'abord entre plusieurs protagonistes, puis au sein d'un même personnage.

L'espace théâtral

À Athènes, les spectacles étaient donnés sur la colline de l'Acropole, non loin du temple de Dionysos. Le public était assis sur des gradins de bois disposés en amphithéâtre, le *theatron**. En bas, se trouvait l'*orchestra**, espace circulaire où se tenait le chœur. Au centre de l'*orchestra*, se dressait la *thymêlè**, l'autel dédié à Dionysos. De part et d'autre de l'*orchestra*, des travées, les *parodoi*, permettaient aux choreutes* d'entrer et de sortir. Enfin, la *skênè**, sorte de baraque en bois devant laquelle jouaient les acteurs, sur une estrade, et qui, au départ, leur servait à se changer, sera progressivement intégrée à l'action, dont elle constituera un décor rudimentaire (une façade de palais par exemple), mais surtout une frontière symbolique au-delà de laquelle les événements ne sont plus montrés mais racontés (le « hors-scène »).

Les acteurs et le chœur

La tragédie grecque était véritablement un spectacle « total » : le théâtre, le chant, la danse s'y mêlaient, et la musique, la flûte en particulier, était omniprésente. Les acteurs, masqués, étaient tous des hommes (ils jouaient éventuellement les rôles féminins). Dans *Œdipe Roi*, les huit personnages étaient incarnés par trois acteurs : le héros par l'un, les autres rôles par les deux autres.

Encore le verbe « jouer » ne convient-il pas vraiment : l'« interprétation » était en effet très codée, et il n'était pas question de réalisme, comme aujourd'hui. D'ailleurs, les paroles étaient plus récitées, ou déclamées (comme le récitatif, à l'opéra), voire chantées, que prononcées. Non seulement les personnages étaient assez peu individualisés – à l'exception du héros –, mais de surcroît, n'oublions pas que le théâtre était alors, au sens propre, une cérémonie. La solennité du rituel importait donc plus que le « naturel » – notion typiquement moderne –, comme en témoigne la présence encore essentielle du chœur.

Chez Sophocle, il y a quinze choreutes*, dirigés et représentés par le

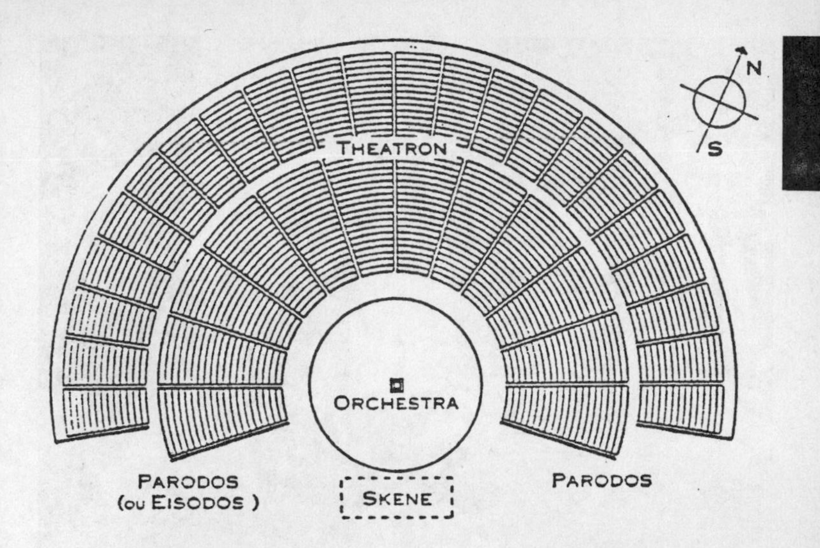

Schéma du théâtre de Dionysos à Athènes, croquis de Paul Demont et Anne Lebeau dans *Introduction au théâtre grec antique.*

coryphée*, à la fois chef et représentant du chœur. Placés en trois rangées de cinq, ils chantent plus qu'ils ne parlent, et dansent plus qu'ils ne bougent. Composé de vieillards ou de femmes, c'est un «être» anonyme et collectif qui représente la cité : il commente l'action, prie ou prend à témoin les dieux, mais également loue, plaint, encourage, interroge ou encore admoneste le héros, et tire la conclusion du drame qui vient de se jouer.

Aristote et la tragédie

C'est au siècle suivant que le philosophe Aristote, dans sa *Poétique* (rédigée vers -355), fixera les règles de la tragédie, scrupuleusement suivies, au moins jusqu'à la fin du XVIIe siècle. Pour Aristote, la création (*poïesis*) est une imitation (*mimésis*), c'est-à-dire une représentation d'actions et d'événements imaginaires. Aristote propose une classification des genres selon deux modes et deux niveaux : le mode dramatique

Œdipe Roi à la Comédie-Française en 1952, dans une adaptation de Thierry Maulnier. À votre avis, de quelle scène s'agit-il ? Identifiez les différents protagonistes. Notez les gestes des deux personnages principaux : comment les interprétez-vous ?

(théâtre) et le mode narratif (récit), le niveau haut (noble) et le niveau bas (vulgaire). Quatre types d'œuvres peuvent donc être dégagés : le genre dramatique haut (tragédie); le genre narratif haut (l'épopée); le genre dramatique bas (la comédie) ; le genre narratif bas (la parodie). Or, Aristote consacre l'essentiel de son étude à la tragédie, et il prend pour modèle du genre… *Œdipe Roi*, de Sophocle !

La structure de la tragédie – En dehors de l'alternance acteurs/chœur (dialogues et parties chantées), les tragédies ne fournissent aucune indication sur le découpage en scènes. C'est Aristote qui impose le déroulement suivant :

- Prologue : exposition de la situation.
- Entrée du chœur (*parodos**).
- Épisodes (actions proprement dites).
- *Stasimon** (intervention lyrique du chœur).

• *Exodos** : conclusion de la tragédie avec la sortie du chœur, à qui revient le mot de la fin.

Les trois principes de la tragédie – Trois éléments sont nécessaires à la composition d'une tragédie. Tout d'abord, le **vraisemblable** : la tragédie doit obéir à la loi du possible. On voit ainsi comment s'introduit ici une part de rationalité, en principe absente du mythe. Ensuite le **conflit**, soit entre les dieux et le héros, soit entre plusieurs personnages, soit au sein du héros lui-même. Enfin, la **péripétie** et la **reconnaissance** : la péripétie est un renversement de situation qui surprend, et suscite l'intérêt du spectateur. La reconnaissance est une péripétie particulière, qui voit le héros passer de l'ignorance à la révélation (par exemple de son identité, comme dans *Œdipe Roi*).

La catharsis – Aristote assigne à la tragédie une fonction didactique et morale bien connue, la *catharsis**, ou « purge des passions ». Le spectateur est censé s'identifier au héros, dont les malheurs, lui inspirant crainte et pitié (c'est le pathétique*), le délivrent de ses passions (en particulier de l'*hùbris**, c'est-à-dire la démesure, l'orgueil excessif, qui le poussent à prétendre s'égaler aux dieux), soit par l'exemple (la vision terrifiante du châtiment infligé au coupable), soit, dans un sens plus moderne qui n'était sans doute pas celui d'Aristote, à la manière d'un exorcisme : vécues par procuration, assouvies non pas directement, mais par le truchement du héros, les passions se sont éteintes au sortir du théâtre (voir Bilans).

Sophocle et son temps

Le siècle de Périclès

Le « miracle athénien » – Sous les gouvernements successifs de Périclès (-495 à -429), auquel on a fini par identifier ce siècle extraordinaire, le monde grec a sans doute atteint son apogée, marqué par l'hégémonie d'Athènes tant du point de vue militaire qu'intellectuel et artistique. Il semble que quelque chose se soit produit alors, qui a infléchi la trajectoire, sinon de l'humanité tout entière, du moins d'une portion non négligeable de celle-ci. Il suffirait, pour illustrer ce moment unique, de citer quelques-uns des contemporains de Sophocle : Phidias (le « bâtisseur » du Parthénon), Hérodote (le premier historien), Socrate (le « père » de la philosophie), Euripide (le rival en tragédie)... Mais au-delà même de ces noms prestigieux, cet âge d'or reste pour nous celui d'une triple naissance : de la démocratie, de la philosophie et de la tragédie. Rien de moins !

Du* Muthos *au* Logos *: le triomphe de la Raison – La coïncidence de ces trois phénomènes n'a rien de fortuit. Nous nous trouvons à un moment clef du processus par lequel s'est opéré le passage du *muthos** (autrement dit, d'une conception purement sacrée de l'homme et de l'univers, où domine la croyance) au *logos** (c'est-à-dire à une conception plus profane, caractérisée par l'exercice de la raison). Or, tandis que le régime politique pour ainsi dire naturel du *muthos* est la monarchie dans sa forme quasi théocratique (le roi n'est pas une personne, mais une figure sacrée, sorte de relais entre les hommes et les dieux), naît, avec le *logos*, l'idée de démocratie : il ne s'agit plus d'obéir aveuglément à un Être suprême, mais de choisir ses gouvernants, en fonction de critères aussi rationnels que possible.

Par ailleurs, au *muthos* correspond le temps des dieux, temps cyclique de l'éternel retour, temps du récit oral qui, à chaque fois, réactualise ce qu'il raconte, et au *logos* le temps des hommes, temps linéaire, chronologique, historique, temps du récit écrit, figé dans la mémoire.

Enfin, dans le *muthos*, nous avons affaire à des sociétés holistes (du grec *holos* : qui forme un tout, complet), c'est-à-dire où l'homme n'est qu'un élément d'une collectivité qui seule compte; avec le *logos*, c'est l'individu qui vient sur le devant de la scène.

Naissance de la philosophie occidentale – Il était donc naturel que la philosophie, entendue précisément comme exercice de la raison, prenne alors une impulsion décisive : si la démocratie entraîne l'essor de la rhétorique*, cet art de convaincre par le langage (y compris mensonger : il s'agit de se faire élire !) dont les sophistes* font leur spécialité et pour ainsi dire leur fonds de commerce, face à eux, se dresse la figure emblématique de Socrate, tenu souvent pour le fondateur de la philosophie occidentale, bien qu'il n'ait rien écrit, et dont Platon, au siècle suivant, traduira la pensée dans ses célèbres dialogues.

Sophocle écrivit plus de cent vingt pièces et remporta vingt-quatre fois, dit-on, le premier prix du concours de tragédie.

Or, à la fois la réflexion philosophique et la question politique se trouvent au cœur de la tragédie, en particulier d'*Œdipe Roi*, comme nous le verrons au cours de l'étude de la pièce.

Sophocle, auteur encensé et citoyen exemplaire

La longue vie de Sophocle épouse presque parfaitement ce siècle d'exception. Ami de Périclès, mais aussi d'Hérodote, il est à la fois un acteur important et le symbole même de la grandeur athénienne. Né en -496 à Colone, une bourgade voisine d'Athènes, dans une famille aisée (son père est un riche armurier), il reçoit une excellente éducation, puis, après avoir montré des dons dans plusieurs disciplines artistiques, il choisit les deux activités auxquelles il se consacrera jusqu'à sa mort : le théâtre et la vie publique.

Un dramaturge couronné de succès – Sophocle aurait écrit plus de cent vingt pièces, dont sept seulement nous sont parvenues intactes : *Ajax*, *Les Trachiniennes*, *Antigone*, *Œdipe Roi*, *Électre*, *Philoctète* et *Œdipe à Colone*, probablement composées dans cet ordre. Victorieux une vingtaine de fois – un record ! – aux concours annuels (plus qu'Eschyle et Euripide), il connaît de son vivant une gloire telle qu'à sa mort, il est « héroïsé », c'est-à-dire élevé à la dignité de demi-dieu, honneur suprême chez les Athéniens.

Un acteur de la* polis *(la cité) – Parallèlement, il participe activement à l'administration d'Athènes. Sa renommée d'auteur dramatique, mais également, semble-t-il, sa réputation d'homme honnête et pieux (il fut étroitement associé à l'instauration du culte d'Asclépios, le dieu médecin) lui valent d'être à plusieurs reprises élu à des fonctions importantes : il est *hellénotame* (trésorier ou intendant des finances) en -443, puis *stratège* (chargé des affaires militaires) par deux fois, dont une, en -440, aux côtés de Périclès. Enfin, en -411, il fait partie des *Proboules*, sorte de comité de salut public qui tente de faire face à la grave crise, intérieure comme extérieure, que connaît alors la cité.

Une fin de vie assombrie – De sa vie privée, on ne sait pas grand-chose, sinon qu'il eut deux fils, l'un, légitime, Iophon, qui devint à son tour dramaturge, l'autre illégitime, dont le fils, Sophocle le Jeune, se consacra également au théâtre. La rivalité de ces deux descendants aurait terni, dit-on, les dernières années de Sophocle, mais la décadence de sa patrie ne fut sans doute pas pour rien dans une amertume que traduit, notamment, son ultime pièce, *Œdipe à Colone*. Sophocle meurt en -406. Un an plus tard, Athènes, payant le prix de son impérialisme sans mesure, est contrainte de demander la paix ; ses murailles sont rasées, et la cité passe sous la domination de Sparte.

Sophocle et Œdipe

Sophocle a consacré deux pièces au personnage d'Œdipe. On situe généralement *Œdipe Roi* entre -430 et -425, en se référant à l'épidémie de peste qui sévit à Athènes dans les années -430 et -429, ainsi qu'à une brève parodie de la pièce dans *Les Acharniens* d'Aristophane, une comédie datant de -425, c'est-à-dire à peu près au milieu de l'œuvre de Sophocle, dont elle apparaît, de fait, comme une sorte de sommet. Quant à *Œdipe à Colone*, il s'agit de l'ultime création du dramaturge, et si c'est un testament, sa signification est claire : en faisant d'Œdipe le protecteur (divinisé) de Colone, et, par extension, d'Athènes même, Sophocle y rend une dernière fois hommage à sa patrie.

Œdipe roi

Personnages

ŒDIPE, *roi de Thèbes.*

LE PRÊTRE DE ZEUS.

CRÉON, *fils de Ménécée, frère de Jocaste.*

CHŒUR DE VIEILLARDS THÉBAINS.

TIRÉSIAS, *devin.*

JOCASTE, *veuve de Laïos, femme d'Œdipe.*

UN CORINTHIEN.

UN SERVITEUR DE LAÏOS.

UN MESSAGER.

Devant le palais d'Œdipe. Un groupe d'enfants est accroupi sur les degrés du seuil. Chacun d'eux a en main un rameau d'olivier. Debout, au milieu d'eux, est le prêtre de Zeus.

PROLOGUE

ŒDIPE. – Enfants, jeune lignée de notre vieux Cadmos[1], que faites-vous là ainsi à genoux, pieusement parés de rameaux suppliants[2] ? La ville est pleine tout ensemble et de vapeurs d'encens et de péans[3] mêlés de plaintes. Je n'ai pas cru dès lors pouvoir laisser à d'autres le soin d'entendre votre appel, je suis venu à vous moi-même, mes enfants, moi, Œdipe – Œdipe au nom que nul n'ignore. Allons ! vieillard,

1. Cadmos : fondateur mythique de Thèbes (voir arbre généalogique, p. 8).
2. Rameaux suppliants : dans le rituel religieux de la supplication, le suppliant porte une couronne de rameaux.
3. Péans : le péan est un chant adressé au dieu Apollon, pour lui demander de détourner un fléau ou pour le remercier de l'avoir fait.

explique-toi : tu es tout désigné pour parler en leur nom. À quoi répond votre attitude ? À quelque crainte ou à quelque désir ? Va, sache-le, je suis prêt, si je puis, à vous donner une aide entière. Il faudrait bien que je fusse insensible pour n'être pas pris de pitié à vous voir ainsi à genoux.

LE PRÊTRE. – Eh bien ! je parlerai. Ô souverain de mon pays, Œdipe, tu vois l'âge de tous ces suppliants à genoux devant tes autels. Les uns n'ont pas encore la force de voler bien loin, les autres sont accablés par la vieillesse ; je suis, moi, prêtre de Zeus ; ils forment, eux, un choix de jeunes gens. Tout le reste du peuple, pieusement paré, est à genoux, ou sur nos places, ou devant les deux temples consacrés à Pallas[1], ou encore près de la cendre prophétique d'Isménos[2]. Tu le vois comme nous, Thèbes, prise dans la houle, n'est plus en état de tenir la tête au-dessus du flot meurtrier. La mort la frappe dans les germes où se forment les fruits de son sol, la mort la frappe dans ses troupeaux de bœufs, dans ses femmes, qui n'enfantent plus la vie. Une déesse porte-torche, déesse affreuse entre toutes, la Peste, s'est abattue sur nous, fouaillant[3] notre ville et vidant peu à peu la maison de Cadmos, cependant que le noir Enfer va s'enrichissant de nos plaintes, de nos sanglots. Certes ni moi ni ces enfants, à genoux devant ton foyer, nous ne t'égalons aux dieux ; non, mais nous t'estimons le premier de tous les mortels dans les incidents de notre existence et les conjonctures créées par les dieux. Il t'a suffi d'entrer jadis dans cette ville de Cadmos pour la libérer du tribut qu'elle payait

1. Pallas : autre nom de la déesse Athéna.
2. Cendre prophétique d'Isménos : Isménos, fils d'Apollon. Sur son autel, à Thèbes, on examinait les cendres pour prédire l'avenir.
3. Fouaillant : fouettant, frappant.

alors à l'horrible Chanteuse[1]. Tu n'avais rien appris pourtant de la bouche d'aucun de nous, tu n'avais reçu aucune leçon : c'est par l'aide d'un dieu – chacun le dit, chacun le pense – que tu as su relever notre fortune. Eh bien ! cette fois encore, puissant Œdipe aimé de tous ici, à tes pieds, nous t'implorons. Découvre pour nous un secours. Que la voix d'un dieu te l'enseigne ou qu'un mortel t'en instruise, n'importe ! Les hommes éprouvés se trouvent aussi ceux dont je vois les conseils le plus souvent couronnés de succès. Oui, redresse notre ville, ô toi, le meilleur des humains ! Oui, prends garde pour toi-même ! Ce pays aujourd'hui t'appelle son sauveur, pour l'ardeur à le servir que tu lui montras naguère : ne va pas maintenant lui laisser de ton règne ce triste souvenir qu'après notre relèvement il aura ensuite marqué notre chute. Redresse cette ville définitivement. C'est sous d'heureux auspices[2] que tu nous apportas autrefois le salut : ce que tu fus, sois-le encore. Aussi bien, si tu dois régner sur cette terre, comme tu y règnes aujourd'hui, ne vaut-il pas mieux pour cela qu'elle soit peuplée que déserte ? Un rempart, un vaisseau ne sont rien, s'il n'y a plus d'hommes pour les occuper.

ŒDIPE. – Mes pauvres enfants, vous venez à moi chargés de vœux que je n'ignore pas – que je connais trop. Vous souffrez tous, je le sais ; mais quelle que soit votre souffrance, il n'est pas un de vous qui souffre autant que moi. Votre douleur, à vous, n'a qu'un objet : pour chacun lui-même et nul autre. Mon cœur à moi gémit sur Thèbes et sur toi et sur moi tout ensemble. Vous ne réveillez pas ici un homme pris par le sommeil. Au contraire, j'avais, sachez-le, répandu déjà

1. Horrible Chanteuse : la Sphinx.
2. Auspices : présages.

bien des larmes et fait faire bien du chemin à ma pensée anxieuse. Le seul remède que j'aie pu, tout bien pesé, découvrir, j'en ai usé sans retard. J'ai envoyé le fils de Ménécée, Créon, mon beau-frère, à Pythô[1], chez Phœbos[2], demander ce que je devais dire ou faire pour sauvegarder notre ville. Et même le jour où nous sommes, quand je le rapproche du temps écoulé, n'est pas sans m'inquiéter : qu'arrive-t-il donc à Créon ? La durée de son absence dépasse le délai normal beaucoup plus qu'il n'est naturel. Mais dès qu'il sera là, je serais criminel, si je refusais d'accomplir ce qu'aura déclaré le dieu.

LE PRÊTRE. – Tu ne pouvais parler plus à propos : ces enfants me font justement signe que Créon est là, qui approche.

ŒDIPE. – Ah ! s'il pouvait, cher Apollon, nous apporter quelque chance de sauver Thèbes, comme on se l'imagine à son air radieux !

LE PRÊTRE. – On peut du moins croire qu'il est satisfait. Sinon, il n'irait pas le front ainsi paré d'une large couronne de laurier florissant.

ŒDIPE. – Nous allons tout savoir. Le voici maintenant à portée de nos voix. Ô prince, cher beau-frère, ô fils de Ménécée, quelle réponse du dieu nous rapportes-tu donc ?

(Créon entre par la gauche.)

CRÉON. – Une réponse heureuse. Crois-moi, les faits les plus

1. Pythô : autre nom de Delphes.
2. Phœbos : autre nom d'Apollon.

fâcheux, lorsqu'ils prennent la bonne route, peuvent tous tourner au bonheur.

ŒDIPE. – Mais quelle est-elle exactement ? Ce que tu dis – sans m'alarmer – ne me rassure guère.

CRÉON. – Désires-tu m'entendre devant eux ? je suis prêt à parler. Ou bien préfères-tu rentrer ?

ŒDIPE. – Va, parle devant tous. Leur deuil à eux me pèse plus que le souci de ma personne.

CRÉON. – Eh bien ! voici quelle réponse m'a été faite au nom de dieu. Sire Phœbos nous donne l'ordre exprès « de chasser la souillure que nourrit ce pays, et de ne pas l'y laisser croître jusqu'à ce qu'elle soit incurable ».

ŒDIPE. – Oui. Mais comment nous en laver ? Quelle est la nature du mal ?

CRÉON. – En chassant les coupables, ou bien en les faisant payer meurtre pour meurtre, puisque c'est le sang dont il parle qui remue ainsi notre ville.

ŒDIPE. – Mais quel est donc l'homme dont l'oracle dénonce la mort ?

CRÉON. – Ce pays, prince, eut pour chef Laïos, autrefois, avant l'heure où tu eus toi-même à gouverner notre cité.

ŒDIPE. – On me l'a dit ; jamais je ne l'ai vu moi-même.

CRÉON. – Il est mort, et le dieu aujourd'hui nous enjoint nettement de le venger et de frapper ses assassins.

ŒDIPE. – Mais où sont-ils ? Comment retrouver à cette heure la trace incertaine d'un crime si vieux ?

CRÉON. – Le dieu les dit en ce pays. Ce qu'on cherche, on le trouve ; c'est ce qu'on néglige qu'on laisse échapper.

ŒDIPE. – Est-ce en son palais, ou à la campagne, ou hors du pays, que Laïos est mort assassiné ?

CRÉON. – Il nous avait quittés pour consulter l'oracle, disait-il. Il n'a plus reparu chez lui du jour qu'il en fut parti.

ŒDIPE. – Et pas un messager, un compagnon de route n'a assisté au drame, dont on pût tirer quelque information ?

CRÉON. – Tous sont morts, tous sauf un, qui a fui, effrayé, et qui n'a pu conter de ce qu'il avait vu qu'une chose, une seule…

ŒDIPE. – Laquelle ? Un seul détail pourrait en éclairer bien d'autres, si seulement il nous offrait la moindre raison d'espérer.

CRÉON. – Il prétendait que Laïos avait rencontré des brigands et qu'il était tombé sous l'assaut d'une troupe, non sous le bras d'un homme.

ŒDIPE. – Des brigands auraient-ils montré pareille audace, si le coup n'avait pas été monté ici et payé à prix d'or ?

CRÉON. – C'est bien aussi ce que chacun pensa ; mais, Laïos mort, plus de défenseur qui s'offrît à nous dans notre détresse.

ŒDIPE. – Et quelle détresse pouvait donc bien vous empêcher, quand un trône venait de crouler, d'éclaircir un pareil mystère ?

CRÉON. – La Sphinx aux chants perfides, la Sphinx, qui nous forçait à laisser là ce qui nous échappait, afin de regarder en face le péril placé sous nos yeux.

ŒDIPE. – Eh bien ! je reprendrai l'affaire à son début et l'éclaircirai, moi. Phœbos a fort bien fait – et tu as bien fait, toi aussi – de montrer ce souci du mort. Il est juste que tous deux vous trouviez un appui en moi. Je me charge de la cause à la fois de Thèbes et du dieu. Et ce n'est pas pour des amis lointains, c'est pour moi que j'entends chasser d'ici cette souillure. Quel que soit l'assassin, il peut vouloir un jour me frapper d'un coup tout pareil. Lorsque je défends Laïos, c'est moi-même aussi que je sers. Levez-vous donc, enfants, sans tarder, de ces marches et emportez ces rameaux suppliants. Un autre cependant assemblera ici le peuple de Cadmos. Pour lui, je suis prêt à tout faire, et, si le dieu m'assiste, on me verra sans doute triompher – ou périr.

(Il rentre dans le palais avec Créon.)

LE PRÊTRE. – Relevons-nous, enfants, puisque ce que nous sommes venus chercher ici, le roi nous le promet. Que Phœbos, qui nous a envoyé ces oracles, maintenant vienne nous sauver et mettre un terme à ce fléau !

(Les enfants sortent avec le Prêtre. Entre le Chœur des Vieillards.)

PARODOS : entrée du chœur

Large.

LE CHŒUR. – *Ô douce parole de Zeus, que viens-tu apporter de Pythô l'opulente à notre illustre ville,*
à Thèbes ? Mon âme, tendue par l'angoisse, est là qui palpite d'effroi. Dieu qu'on invoque avec des cris aigus, dieu de Délos, dieu guérisseur,
quand je pense à toi, je tremble : que vas-tu exiger de nous ? une obligation nouvelle ? ou une obligation omise à renouveler au cours des années ?
Dis-le-moi, Parole éternelle[1] *fille de l'éclatante Espérance.*
C'est toi que j'invoque d'abord, toi, la fille de Zeus, immortelle Athéna ; et ta sœur aussi, reine de cette terre,
Artémis, dont la place ronde de Thèbes forme le trône glorieux[2]*; et, avec vous, Phœbos l'Archer ; allons !*
tous trois ensemble, divinités préservatrices, apparaissez à mon appel ! Si jamais, quand un désastre menaçait jadis notre ville,
vous avez su écarter d'elle la flamme du malheur, aujourd'hui encore accourez !

Plus animé.

Ah ! je souffre des maux sans nombre. Tout mon peuple est en proie au fléau, et ma pensée ne possède pas d'arme

1. Parole éternelle : il s'agit de l'oracle.
2. Trône glorieux : il y avait à Thèbes, sur la place du marché, un temple dédié à Artémis, déesse de la lune et de la chasse.

qui nous permette une défense. Les fruits de ce noble terroir ne croissent plus à la lumière, et d'heureuses naissances ne couronnent plus le travail qui arrache des cris aux femmes. L'un après l'autre, on peut voir les Thébains, pareils à des oiseaux ailés,
plus prompts que la flamme indomptable, se précipiter sur la rive où règne le dieu du Couchant[1].

Et la Cité se meurt en ces morts sans nombre. Nulle pitié ne va à ses fils gisant sur le sol : ils portent la mort à leur tour, personne ne gémit sur eux.
Épouses, mères aux cheveux blancs, toutes de partout affluent au pied des autels,
suppliantes, pleurant leurs atroces souffrances. Le péan éclate, accompagné d'un concert de sanglots.
Sauve-nous, fille éclatante de Zeus, dépêche-nous ton secours radieux !

Vif et bien marqué.
Arès le Brutal renonce cette fois au bouclier de bronze. Il vient, enveloppé d'une immense clameur, nous assaillir, nous consumer.
Ah ! qu'il fasse donc volte-face, rebroussant chemin à toute vitesse, ou jusque dans la vaste demeure d'Amphitrite[2]*,*
ou jusque vers ces flots de Thrace[3] *où ne se montre aucun rivage hospitalier !*
Si la nuit a laissé quelque chose à faire, c'est le jour qui vient terminer sa tâche. Sur ce cruel, ô Zeus Père, maître de l'éclair enflammé, lâche ta foudre, écrase-le !

1. Dieu du Couchant : il s'agit d'Hadès, le dieu des Enfers.
2. Amphitrite : reine de la mer qui entoure le monde.
3. Thrace : région orientale de la péninsule balkanique, comprenant aujourd'hui la Bulgarie, et une partie de la Grèce et de la Turquie.

Et toi aussi, dieu Lycien[1], *je voudrais voir les traits partis de ton arc d'or se disperser, invincibles,*
pour me secourir, pour me protéger, en même temps que ces flambeaux dont la lueur illumine Artémis, quand elle court, bondissante, à travers les monts de Lycie.
J'appelle enfin le dieu au diadème d'or, celui qui a donné son nom à mon pays[2],
le dieu de l'évohé[3], *Bacchos au visage empourpré, le compagnon des Ménades*[4] *errantes. Ah! qu'il vienne, éclairé d'une torche ardente, attaquer le dieu à qui tout honneur est refusé parmi les dieux!*

PREMIER ÉPISODE

(Œdipe sort du palais et s'adresse au Chœur du haut de son seuil.)

ŒDIPE. – J'entends tes prières, et à ces prières c'est moi qui réponds. Sache écouter, accueillir mes avis, sache te plier aux ordres du fléau, et tu auras le réconfort, l'allégement attendu de tes peines. Je parle ici en homme étranger au rapport qu'il vient d'entendre, étranger au crime lui-même, dont l'enquête n'irait pas loin, s'il prétendait la mener seul,

1. Dieu Lycien : Apollon. La Lycie était une région située au sud de l'Asie Mineure. Apollon y serait né.
2. Pays : Bacchos (Dionysos), étant né à Thèbes, aurait donné son nom à la région, appelée «terre de Bacchos».
3. Évohé : cri que faisaient entendre les bacchantes en l'honneur de Dionysos.
4. Ménades : autre nom des bacchantes, suivantes de Dionysos.

sans posséder le moindre indice ; et, comme je me trouve en fait un des derniers citoyens inscrits dans cette cité, c'est à vous, c'est à tous les Cadméens[1], que j'adresse solennellement cet appel :

« À quiconque parmi vous sait sous le bras de qui est tombé Laïos, le fils de Labdacos, j'ordonne de me révéler tout. S'il craint pour lui-même, qu'il se libère sans éclat de l'inculpation qui pèse sur lui : il n'aura nul ennui et partira d'ici en pleine sûreté. S'il connaît l'assassin comme étant un autre – voire un homme né sur une autre terre – qu'il ne garde pas le silence, je lui paierai le prix de sa révélation, et j'y joindrai ma gratitude. Mais en revanche, si vous voulez rester muets, si l'un de vous, craignant pour un des siens ou pour lui-même, se dérobe à mon appel, apprenez en ce cas comment j'entends agir. Quel que soit le coupable, j'interdis à tous, dans ce pays où j'ai le trône et le pouvoir, qu'on le reçoive, qu'on lui parle, qu'on l'associe aux prières ou aux sacrifices, qu'on lui accorde la moindre goutte d'eau lustrale[2]. Je veux que tous, au contraire, le jettent hors de leurs maisons, comme la souillure de notre pays : l'oracle auguste de Pythô vient à l'instant de me le déclarer. Voilà comment j'entends servir et le dieu et le mort. Je voue le criminel, qu'il ait agi tout seul, sans se trahir, ou avec des complices, à user misérablement, comme un misérable, une vie sans joie ; et, si d'aventure je venais à l'admettre consciemment à mon foyer, je me voue moi-même à tous les châtiments que mes imprécations viennent à l'instant d'appeler sur d'autres. Tout cela, je vous somme de le faire pour moi, pour Apollon, pour cette terre qui se meurt, privée de ses moissons, oubliée de ses dieux. »

1. Cadméens : habitants de la ville de Cadmos, c'est-à-dire de Thèbes.
2. Eau lustrale : eau purificatrice.

(Œdipe descend vers le Chœur. Sur un ton plus familier, mais qui s'anime et s'élargit peu à peu.)

Oui, quand bien même vous n'eussiez pas eu cet avis des dieux, il n'était pas décent pour vous de tolérer pareille tache. Le meilleur des rois avait disparu : il fallait pousser les recherches à fond. Je me vois à cette heure en possession du pouvoir qu'il eut avant moi, en possession de son lit, de la femme qu'il avait déjà rendue mère ; des enfants communs seraient aujourd'hui notre lot commun, si le malheur n'avait frappé sa race ; mais il a fallu que le sort vînt s'abattre sur sa tête ! C'est moi dès lors qui lutterai pour lui, comme s'il eût été mon père. J'y emploierai tous les moyens, tant je brûle de le saisir, l'auteur de ce meurtre, l'assassin du fils de Labdacos, du prince issu de Polydore, du vieux Cadmos, de l'antique Agénor[1] ! Et pour tous ceux qui se refuseront à exécuter mes ordres, je demande aux dieux de ne pas laisser la moisson sortir de leur sol, de ne pas laisser naître d'enfants de leurs femmes, mais de les faire tous périr du mal dont nous mourons, si ce n'est d'un pire encore… À vous au contraire, à tous les Cadméens qui obéiront ici à ma voix, je souhaite de trouver comme aide et compagne la Justice, ainsi que les dieux, à jamais !

LE CORYPHÉE. – Tu m'as pris dans les liens de ton imprécation, ô roi : je te parlerai comme elle l'exige. Je n'ai pas commis le meurtre ; je ne saurais pas davantage te désigner le meur-

1 Agénor : père d'Europe, enlevée par Zeus. Il avait envoyé ses trois fils à sa recherche ; l'un d'eux, Cadmos, fonda Thèbes.

trier. Mais c'était à Phœbos, en nous répondant, de nous dire ce que nous cherchons, le nom de l'assassin.

ŒDIPE. – Tu dis vrai; mais est-il personne qui puisse contraindre les dieux à faire ce qu'ils ne veulent pas?

LE CORYPHÉE. – Je voudrais bien alors te donner un second avis.

ŒDIPE. – Voire un troisième, si tu veux. Va, n'hésite pas à parler.

LE CORYPHÉE. – Comme sire Apollon, sire Tirésias possède, je le sais, le don de clairvoyance. En recourant à lui pour mener cette enquête, on serait renseigné très exactement, roi.

ŒDIPE. – Mais je n'ai pas non plus négligé ce moyen. Créon m'en a parlé, et j'ai dépêché sur l'heure au devin deux messagers. Je m'étonne même depuis un moment qu'il ne soit pas là.

LE CORYPHÉE. – Disons-le bien aussi, tout le reste ne compte pas : propos en l'air et radotages.

ŒDIPE. – Quels propos? Il n'est rien de ce que l'on dit que je n'entende contrôler.

LE CORYPHÉE. – On l'a dit tué par d'autres voyageurs.

ŒDIPE. – Je l'ai aussi entendu dire. Mais le témoin qui aurait vu le fait, personne ici ne le voit plus lui-même.

LE CORYPHÉE. – Mais, s'il est tant soit peu accessible à la crainte, devant tes imprécations, le criminel ne pourra plus tenir.

ŒDIPE. – Celui qui n'a pas peur d'un acte a moins peur encore d'un mot.

LE CORYPHÉE. – Mais il est quelqu'un qui peut le confondre : voici que l'on t'amène l'auguste devin, celui qui, seul parmi les hommes, porte en son sein la vérité !

(Entre Tirésias, guidé par un enfant. Deux esclaves d'Œdipe les accompagnent.)

ŒDIPE. – Toi qui scrutes tout, ô Tirésias, aussi bien ce qui s'enseigne que ce qui demeure interdit aux lèvres humaines, aussi bien ce qui est du ciel que ce qui marche sur la terre, tu as beau être aveugle, tu n'en sais pas moins de quel fléau Thèbes est la proie. Nous ne voyons que toi, seigneur, qui puisses contre lui nous protéger et nous sauver. Phœbos, en effet – si tu n'as rien su par mes envoyés – Phœbos consulté nous a conseillés ainsi. Un seul moyen nous est offert pour nous délivrer du fléau : c'est de trouver les assassins de Laïos, pour les faire ensuite périr ou les exiler du pays. Ne nous refuse donc ni les avis qu'inspirent les oiseaux, ni aucune démarche de la science prophétique, et sauve-toi, toi et ton pays, sauve-moi aussi, sauve-nous de toute souillure que peut nous infliger le mort. Notre vie est entre tes mains. Pour un homme, aider les autres dans la mesure de sa force et de ses moyens, il n'est pas de plus noble tâche.

TIRÉSIAS. – Hélas ! hélas ! qu'il est terrible de savoir, quand le savoir ne sert de rien à celui qui le possède ! Je ne l'ignorais pas ; mais je l'ai oublié. Je ne fusse pas venu sans cela.

ŒDIPE. – Qu'est-ce là ? et pourquoi pareil désarroi à la pensée d'être venu ?

TIRÉSIAS. – Va, laisse-moi rentrer chez moi : nous aurons, si tu m'écoutes, moins de peine à porter, moi mon sort, toi le tien.

ŒDIPE. – Que dis-tu ? Il n'est ni normal ni conforme à l'amour que tu dois à Thèbes, ta mère, de lui refuser un oracle.

TIRÉSIAS. – Ah ! c'est que je te vois toi-même ne pas dire ici ce qu'il faut ; et, comme je crains de commettre la même erreur à mon tour…

ŒDIPE. – Non, par les dieux ! si tu sais, ne te détourne pas de nous. Nous sommes tous ici à tes pieds, suppliants.

TIRÉSIAS. – C'est que tous, tous, vous ignorez… Mais non, n'attends pas de moi que je révèle mon malheur – pour ne pas dire : le tien.

ŒDIPE. – Comment ? tu sais et tu ne veux rien dire ! Ne comprends-tu pas que tu nous trahis et perds ton pays ?

TIRÉSIAS. – Je ne veux affliger ni toi ni moi. Pourquoi me pourchasser vainement de la sorte ? De moi tu ne sauras rien.

ŒDIPE. – Ainsi, ô le plus méchant des méchants – car vraiment tu mettrais en fureur un roc – ainsi, tu ne veux rien dire, tu prétends te montrer insensible, entêté à ce point ?

TIRÉSIAS. – Tu me reproches mon furieux entêtement, alors que tu ne sais pas voir celui qui loge chez toi, et c'est moi qu'ensuite tu blâmes !

ŒDIPE. – Et qui ne serait en fureur à entendre de ta bouche des mots qui sont autant d'affronts pour cette ville ?

TIRÉSIAS. – Les malheurs viendront bien seuls : peu importe que je me taise et cherche à te les cacher !

ŒDIPE. – Mais alors, s'ils doivent venir, faut-il pas que tu me les dises ?

TIRÉSIAS. – Je n'en dirai pas plus. Après quoi, à ta guise ! laisse ton dépit déployer sa fureur la plus farouche.

ŒDIPE. – Eh bien soit ! Dans la fureur où je suis, je ne cèlerai rien de ce que j'entrevois. Sache donc qu'à mes yeux c'est toi qui as tramé le crime, c'est toi qui l'as commis – à cela près seulement que ton bras n'a pas frappé. Mais, si tu avais des yeux, je dirais que même cela, c'est toi, c'est toi seul qui l'as fait.

TIRÉSIAS. – Vraiment ? Eh bien, je te somme, moi, de t'en tenir à l'ordre que tu as proclamé toi-même, et donc de ne plus parler de ce jour à qui que ce soit, ni à moi, ni à ces gens ; car, sache-le, c'est toi, c'est toi, le criminel qui souille ce pays !

ŒDIPE. – Quoi ? tu as l'impudence de lâcher pareil mot ! Mais comment crois-tu donc te dérober ensuite ?

TIRÉSIAS. – Je demeure hors de tes atteintes : en moi vit la force du vrai.

ŒDIPE. – Et qui t'aurait appris le vrai ? Ce n'est certes pas ton art.

TIRÉSIAS. – C'est toi, puisque tu m'as poussé à parler malgré moi.

ŒDIPE. – Et à dire quoi ? répète, que je sache mieux.

TIRÉSIAS. – N'as-tu donc pas compris ? Ou bien me tâtes-tu pour me faire parler ?

ŒDIPE. – Pas assez pour dire que j'ai bien saisi. Va, répète encore.

TIRÉSIAS. – Je dis que c'est toi l'assassin cherché.

ŒDIPE. – Ah ! tu ne répéteras pas telles horreurs impunément !

TIRÉSIAS. – Et dois-je encore, pour accroître ta fureur…

ŒDIPE. – Dis ce que tu voudras : tu parleras pour rien.

TIRÉSIAS. – Eh bien donc, je le dis. Sans le savoir, tu vis dans un commerce[1] infâme avec les plus proches des tiens, et sans te rendre compte du degré de misère où tu es parvenu.

1. Commerce : relation, fréquentation ; allusion à l'union d'Œdipe avec Jocaste.

ŒDIPE. – Et tu t'imagines pouvoir en dire plus sans qu'il t'en coûte rien?

TIRÉSIAS. – Oui, si la vérité garde quelque pouvoir.

ŒDIPE. – Ailleurs, mais pas chez toi! Non, pas chez un aveugle, dont l'âme et les oreilles sont aussi fermées que les yeux!

TIRÉSIAS. – Mais toi aussi, tu n'es qu'un malheureux, quand tu me lances des outrages que tous ces gens bientôt te lanceront aussi.

ŒDIPE. – Tu ne vis, toi, que de ténèbres : comment donc me pourrais-tu nuire, à moi, comme à quiconque voit la clarté du jour?

TIRÉSIAS. – Non, mon destin n'est pas de tomber sous tes coups : Apollon n'aurait pas de peine à te les faire payer.

ŒDIPE. – Est-ce Créon ou toi qui inventas l'histoire?

TIRÉSIAS. – Ce n'est pas Créon qui te perd, c'est toi.

ŒDIPE. – Ah! richesse, couronne, savoir surpassant tous autres savoirs, vous faites sans doute la vie enviable; mais que de jalousies vous conservez aussi contre elle chez vous! s'il est vrai que, pour ce pouvoir, que Thèbes m'a mis elle-même en main, sans que je l'aie, moi, demandé jamais, Créon, le loyal Créon, l'ami de toujours, cherche aujourd'hui sournoisement à me jouer, à me chasser d'ici, et qu'il a pour cela suborné ce faux prophète, ce grand meneur d'intrigues, ce fourbe charlatan, dont les yeux sont ouverts au gain, mais tout à fait clos pour son art. Car enfin, dis-moi, quand donc as-tu été un devin véridique? pourquoi, quand l'ignoble Chanteuse[1] était dans nos murs, ne disais-tu pas à ces citoyens le mot qui les eût sauvés? Ce n'était pourtant pas le premier venu qui pouvait résoudre l'énigme : il fallait là l'art d'un devin. Cet art, tu n'as pas montré que tu l'eusses appris ni des oiseaux ni d'un dieu! Et cependant j'arrive, moi Œdipe, ignorant de tout, et c'est moi, moi seul, qui lui ferme la bouche, sans rien connaître des présages, par ma seule présence d'esprit. Et voilà l'homme qu'aujourd'hui tu prétends expulser de Thèbes! Déjà tu te vois sans doute debout auprès du trône de Créon? Cette expulsion-là pourrait te coûter cher, à toi comme à celui qui a mené l'intrigue. Si tu ne me faisais l'effet d'un bien vieil homme, tu recevrais exactement la leçon due à ta malice.

LE CORYPHÉE. – Il nous semble bien à nous que, si ses mots étaient dictés par la colère, il en est de même pour les tiens, Œdipe; et ce n'est pas de tels propos que nous avons besoin ici. Comment résoudre au mieux l'oracle d'Apollon! voilà seulement ce que nous avons à examiner.

TIRÉSIAS. – Tu règnes; mais j'ai mon droit aussi, que tu dois reconnaître, le droit de te répondre point pour point à mon tour, et il est à moi sans conteste. Je ne suis pas à tes ordres, je suis à ceux de Loxias[2]; je n'aurai pas dès lors à réclamer le patronage de Créon. Et voici ce que je te dis. Tu me reproches d'être aveugle; mais toi, toi qui y vois, comment

1. Chanteuse : voir note 1, p. 27.
2. Loxias : littéralement, l'«Oblique»; surnom donné à Apollon, peut-être en raison de l'ambiguïté de ses oracles.

ne vois-tu pas à quel point de misère tu te trouves à cette heure ? et sous quel toit tu vis, en compagnie de qui ? – sais-tu seulement de qui tu es né ? – Tu ne te doutes pas que tu es en horreur aux tiens, dans l'enfer comme sur la terre. Bientôt, comme un double fouet, la malédiction d'un père et d'une mère, qui approche terrible, va te chasser d'ici. Tu vois le jour : tu ne verras bientôt plus que la nuit. Quels bords ne rempliras-tu pas alors de tes clameurs ? – quel Cithéron[1] n'y fera pas écho ? – lorsque tu comprendras quel rivage inclément[2] fut pour toi cet hymen[3] où te fit aborder un trop heureux voyage ! Tu n'entrevois pas davantage le flot de désastres nouveaux qui va te ravaler au rang de tes enfants ! Après cela, va, insulte Créon, insulte mes oracles : jamais homme avant toi n'aura plus durement été broyé du sort.

ŒDIPE. – Ah ! peut-on tolérer d'entendre parler de la sorte ? Va-t'en à la male heure[4], et vite ! Vite, tourne le dos à ce palais. Loin d'ici ! va-t'en !

TIRÉSIAS. – Je ne fusse pas venu de moi-même : c'est toi seul qui m'as appelé.

ŒDIPE. – Pouvais-je donc savoir que tu ne dirais que sottises ? J'aurais pris sans cela mon temps pour te mander jusqu'ici.

TIRÉSIAS. – Je t'apparais donc sous l'aspect d'un sot ? Pourtant j'étais un sage aux yeux de tes parents.

1. Cithéron : montagne située à proximité de Thèbes, où Œdipe aurait été emmené bébé pour y être dévoré par les bêtes sauvages.
2. Inclément : dur, rigoureux, hostile.
3. Hymen : mariage.
4. Male heure : au diable.

ŒDIPE. – Quels parents ? Reste là. De qui suis-je le fils ?

TIRÉSIAS. – Ce jour te fera naître et mourir à la fois.

ŒDIPE. – Tu ne peux donc user que de mots obscurs et d'énigmes ?

TIRÉSIAS. – Quoi ! tu n'excelles plus à trouver les énigmes ?

ŒDIPE. – Va, reproche-moi donc ce qui fait ma grandeur.

TIRÉSIAS. – C'est ton succès pourtant qui justement te perd.

ŒDIPE. – Si j'ai sauvé la ville, que m'importe le reste ?

TIRÉSIAS. – Eh bien ! je pars. Enfant, emmène-moi.

ŒDIPE. – Oui, certes, qu'il t'emmène ! Ta présence me gêne et me pèse. Tu peux partir : je n'en serai pas plus chagrin.

TIRÉSIAS. – Je pars, mais je dirai d'abord ce pour quoi je suis venu. Ton visage ne m'effraie pas : ce n'est pas toi qui peux me perdre. Je te le dis en face : l'homme que tu cherches depuis quelque temps avec toutes ces menaces, ces proclamations sur Laïos assassin, cet homme est ici même. On le croit un étranger, un étranger fixé dans le pays : il se révélera un Thébain authentique – et ce n'est pas cette aventure qui lui procurera grand-joie. Il y voyait : de ce jour il sera aveugle ; il était riche : il mendiera, et, tâtant sa route devant lui avec son bâton, il prendra le chemin de la terre étrangère. Et, du même coup, il se révélera père et frère à la fois des fils qui l'entouraient, époux et fils ensemble de la femme dont il est né, rival incestueux aussi bien qu'assassin de son propre père ! Rentre à présent, médite mes oracles, et, si tu t'assures que je t'ai menti, je veux bien alors que tu dises que j'ignore tout de l'art des devins.

(Il sort. Œdipe rentre dans son palais.)

PREMIER STASIMON : chant du chœur

Animé.

LE CHŒUR. – *Quel est donc celui qu'à Delphes a désigné la roche prophétique comme ayant de sa main sanglante consommé des forfaits passant tous les forfaits ?*
Voici l'heure pour lui de mouvoir dans sa fuite des jarrets plus robustes que ceux de ces cavales[1] *qui luttent avec les vents.*
Déjà sur lui le fils de Zeus s'élance, armé de flammes et d'éclairs, et sur ses traces courent les déesses de mort[2]*, les terribles déesses qui jamais n'ont manqué leur proie.*

Elle vient de luire, éclatante, la parole jaillie du Parnasse neigeux[3]*. Elle veut que chacun se jette sur la piste du coupable incertain.*

1. Cavales : chevaux.
2. Déesses de mort : il s'agit des Érinyes, les déesses de la Vengeance, qui poursuivent sans répit les criminels.
3. Parnasse neigeux : c'est sur le versant sud du mont Parnasse qu'est située Delphes. La montagne était consacrée à Apollon, dont le temple se dressait au sommet.

Déjà il va errant par la forêt sauvage, à travers grottes et rochers, tout comme un taureau.
Solitaire et misérable dans sa fuite misérable, il tâche d'échapper aux oracles sortis du centre de la terre. Mais eux sont toujours là, volant autour de lui !

Plus soutenu.
Sans doute il me trouble, me trouble étrangement, le sage devin. Je ne puis le croire ni le démentir. Que dire ? Je ne sais. Je flotte au vent de mes craintes et ne vois plus rien ni devant ni derrière moi.
Quel grief pouvait exister, soit dans l'âme des Labdacides, soit dans celle du fils de Polybe ? Ni dans le passé ni dans le présent,
je ne trouve la moindre preuve qui me force à partir en guerre contre le renom bien assis d'Œdipe, et à m'instituer, au nom des Labdacides, le vengeur de tel ou tel meurtre incertain.

Mais, si Zeus et si Apollon sont sans doute clairvoyants et s'ils sont bien instruits du destin des mortels, parmi les hommes en revanche, un devin possède-t-il, lui, des dons supérieurs aux miens ? Rien ne l'atteste vraiment. Oui, un savoir humain
peut toujours en dépasser d'autres, mais, tant que je n'aurai pas vu se vérifier les dires de ses accusateurs, je me refuse à les admettre.
Ce qui demeure manifeste, c'est que la Vierge ailée[1] *un jour s'en prit à lui, et qu'il prouva alors et sa sagesse et son amour pour Thèbes. Et c'est pourquoi jamais mon cœur ne lui imputera un crime.*

1. La Vierge ailée : la Sphinx

Arrêt sur lecture 1

Sur les tragédies du Vᵉ siècle, nous ne possédons – hélas ! – aucun document d'époque. Le plus ancien manuscrit qui nous soit parvenu date de l'an mille, mais la plupart sont beaucoup plus récents. C'est dire que la question du paratexte* (ce qui précède, accompagne et suit le texte proprement dit) est ici singulièrement délicate.

Un titre intraduisible

On le sait bien, toute traduction est une trahison (« *traduttore traditore* », disent les Italiens). C'est d'autant plus vrai lorsque, à la difficulté de passer d'une langue à l'autre, s'ajoute la distance temporelle et culturelle : comment transposer des réalités disparues ?

Ainsi, la pièce de Sophocle s'intitule en grec *Oïdipous tyrannos*, que nous serions évidemment tentés de traduire par *Œdipe Tyran* : mais ce serait mal rendre compte de la notion de tyrannie dans la Grèce antique. Pour nous ce terme est en effet synonyme de dictature, et évoque aussitôt violence et coercition. Pour les Grecs, la tyrannie est une forme particulière de gouvernement, qui se situe en quelque sorte à mi-chemin entre la monarchie et la démocratie : le tyran gouverne seul, mais il tient son pouvoir du peuple, et non, comme le monarque, de l'hérédité. Protecteur de la cité, il est l'homme providentiel que celle-ci s'est choisi, en raison de ses mérites supposés.

C'est naturellement le cas d'Œdipe, qui est monté sur le trône pour avoir débarrassé Thèbes de la Sphinx. Aimé et respecté, il apparaît comme le sauveur, passé et à venir : il n'est que de voir comment ses sujets s'en remettent à lui pour les délivrer du fléau. Symboliquement, d'ailleurs, c'est une délégation d'enfants qui vient le supplier de venir en aide à la ville, et il assume pleinement ce rôle paternel (« mes enfants », « mes pauvres enfants »).

Mais l'image du tyran grec n'est pas univoque, et son pouvoir, si légitime et reconnu soit-il, n'en présente pas moins un risque : celui de devenir... tyrannique justement ! Or, les Thébains en sont conscients, comme le chœur le confirmera plus loin : « La démesure enfante le tyran » (p. 76). C'est bien tout le problème : entre le protecteur et le dictateur, la frontière peut se révéler mince. Et les mêmes qualités qui ont fait du héros un libérateur pourraient bien révéler en lui un oppresseur.

Affadir (*roi*) ou infléchir (*tyran*)... on le voit, la question de la traduction du titre est à la fois insoluble et essentielle : en somme, toute la dimension politique de la pièce est déjà suggérée ici.

Un lieu symbolique : « *Devant le palais d'Œdipe...* »

Ajoutée après coup, cette didascalie initiale est cependant plausible : elle correspond en effet à ce qu'on peut déduire du texte et de ce que nous savons de la représentation théâtrale à l'époque. À ce titre, elle appelle deux remarques.

D'abord, il faut se souvenir que si la tragédie grecque ignore les décors à proprement parler, l'une des fonctions de la *skênè** est de suggérer un cadre, stéréotypé, qui se trouve être généralement, en effet, le palais royal : cela n'a d'ailleurs rien d'étonnant compte tenu de la personnalité et du statut des héros. Rappelons au passage que Sophocle

Œdipe Roi dans la mise en scène d'Alain Milianti au Théâtre de l'Odéon, en 1985. Identifiez les protagonistes. Comparez avec la page 16.

serait l'inventeur de la *Skênographia* (qui a donné plus tard le français « scénographie », au sens de mise en scène), c'est-à-dire le fait de peindre sur la *skênè* une esquisse de décor.

Seconde remarque : ce choix n'est pas seulement déterminé par l'action, mais également et peut-être essentiellement par des raisons symboliques. D'une part, le palais est le lieu par excellence de l'exercice du pouvoir : une volée de marches séparait d'ailleurs probablement Œdipe debout des suppliants accroupis, accentuant le surplomb du roi. Il n'est donc pas indifférent que la pièce s'ouvre sur l'image d'un souverain dans la plénitude de son autorité, triomphant et supérieur, dont la suite va nous montrer… la chute ! D'autre part, le palais n'est pas seulement celui d'Œdipe, mais des rois de Thèbes, des Labdacides. Cet espace unique (toute la pièce s'y déroulera) vient donc nous rappeler, en arrière-plan, que l'histoire d'Œdipe est l'histoire d'une famille, que derrière l'individu, il y a la lignée, et qu'avec lui, ce sont aussi Laïos, Labdacos, Cadmos, et peut-être même Étéocle et Polynice… qui se tiennent sur ce parvis.

Fonctions du prologue

Nous l'avons dit (Ouvertures), c'est Aristote, au IVe siècle, qui a fixé les six parties de la tragédie. La première, le Prologue (de *pro-logos* : littéralement, « discours d'avant »), consiste ici en deux dialogues successifs (Euripide imposera bientôt l'usage du monologue), entre Œdipe et le prêtre de Zeus, puis entre Œdipe et Créon, qui exposent les données du drame.

Des informations et des rappels

Cette présentation se fait du reste en deux temps, et de manière assez symétrique : c'est d'abord le prêtre qui décrit la situation présente (la peste s'est abattue sur Thèbes), puis évoque – mais de manière significativement fort brève et allusive – les bienfaits passés d'Œdipe :

> **Il t'a suffi d'entrer jadis dans cette ville de Cadmos pour la libérer du tribut qu'elle payait alors à l'horrible Chanteuse.** (p. 26-27)

C'est ensuite Créon qui, de retour de Pythô (l'autre nom de Delphes), annonce la réponse de l'oracle : il s'agit de purifier la ville de « la souillure que nourrit ce pays » (p. 29) en châtiant les coupables du meurtre de Laïos, l'ancien roi ; puis, à son tour, il revient sur un événement passé – cette fois le meurtre de Laïos – en rapportant le témoignage d'un survivant.

Ce parallèle a un sens : il vient nous rappeler, s'il en était besoin, que dans la tragédie, passé, présent et futur s'éclairent réciproquement. Dans une temporalité qui demeure en partie celle des dieux, le présent contient *encore* tout le passé et *déjà* tout l'avenir, ce qui pose bien sûr la question de la **fatalité** et de la **liberté**, sur laquelle nous aurons l'occasion de revenir plus loin (Bilans).

Des suggestions et des amorces

Mais précisément, l'exposition au théâtre ne consiste pas seulement à communiquer un certain nombre d'informations nécessaires à la compréhension de l'intrigue. Il s'agit également d'installer une tonalité, de créer une atmosphère, et/ou d'introduire des thématiques que la suite reprendra et développera. On prépare ainsi le spectateur à reconnaître, le moment venu, des aspects importants qui avaient pu lui échapper initialement, mais qui lui reviendront alors en mémoire et s'éclaireront rétrospectivement. Ainsi, une lecture attentive des deux dialogues révèle une progression lourde de sens.

Le prêtre commence par s'adresser à Œdipe sur un ton pathétique* et par multiplier à son égard les marques de déférence, pour ne pas dire de vénération :

> **Tu vois l'âge de tous ces suppliants à genoux devant tes autels.** (p. 52)

Pourtant, il semble qu'au fil de son discours, le ton change insensiblement. La prière se fait ordre, la supplication s'efface derrière la menace. Le rappel même des hautes actions du héros n'apparaît plus comme le témoignage d'une reconnaissance, mais bien comme l'expression d'une exigence; ce que résume parfaitement la formule lapidaire :

> **Ce que tu fus, sois-le encore.** (p. 27)

Rien n'est dit clairement, mais les sous-entendus sont perceptibles.

Ils le sont également dans le dialogue suivant, entre Œdipe et Créon, mais dans l'autre sens cette fois. Le frère de Jocaste, envoyé consulter l'oracle, est soumis, dès son retour, à un véritable interrogatoire : à la longue tirade du roi succède un échange très vif de brèves répliques. Et là encore, de manière très symétrique, le ton s'infléchit peu à peu : les questions d'Œdipe se font plus pressantes, et laissent percer les reproches.

On devine ainsi que les relations entre le souverain et son peuple – au moins son représentant religieux et l'un de ses principaux notables – sont plus complexes et plus ambiguës qu'il pouvait paraître de prime abord : il y a dans cette tension, très présente quoique implicite, l'amorce d'une **crise** que la suite ne manquera pas de faire éclater. Or, cela, l'exposition se charge aussi de nous le suggérer.

Le premier épisode

Après le *parodos** (l'entrée du chœur, qui a pleuré les malheurs de la ville et en a appelé au secours divin), le premier épisode est constitué de deux éléments qui ne prennent tout leur sens que mis en perspective l'un par rapport à l'autre : c'est d'abord la longue réponse d'Œdipe au chœur, puis sa confrontation avec Tirésias.

Portrait du héros en tyran

Héros, Œdipe l'est au moins à deux titres. Descendant des dieux, il a jadis, par ses qualités exceptionnelles, accompli l'exploit de vaincre un monstre. Sauveur et protecteur de la cité, il s'engage à la délivrer une fois encore du fléau qui la menace. Mais, à présent, les choses ont changé. Il n'est plus le voyageur solitaire, l'étranger en fuite. Il est le roi de Thèbes. Sa démarche première consiste ici non pas à agir, mais à faire agir. Son intelligence (plus que sa force) lui a permis de résoudre l'énigme de la Sphinx. C'est sur son autorité qu'il compte désormais pour confondre les meurtriers de Laïos. Les paroles qu'il adresse au chœur, et, à travers lui, à tous les habitants, sont à cet égard édifiantes : omniprésence du « je », discours injonctif*, champs lexicaux de l'ordre de la menace, de la volonté, de l'interdiction, etc.

C'est donc bien en monarque tout-puissant qu'il s'exprime : « J'interdis à tous, dans ce pays où j'ai le trône et le pouvoir... » (p. 35); « Il n'est rien de ce que l'on dit que je n'entende contrôler » (p. 37). Plus : nous retrouvons le ton de reproche déjà perceptible dans le dialogue avec Créon. Les Thébains n'auraient pas mis tout en œuvre pour retrouver les coupables : « Le meilleur des rois avait disparu : il fallait pousser les recherches à fond » (p. 36).

Le trait de caractère qui domine ici chez Œdipe est évidemment l'orgueil, ou plus exactement cette fameuse *hùbris**, cette **démesure**, qui l'entraîne jusqu'à prétendre – au moins en paroles – pouvoir se passer de l'avis des dieux (« quand bien même vous n'eussiez pas eu cet avis des dieux, il n'était pas décent pour vous de tolérer pareille tache », p. 36), voire se substituer purement et simplement à eux (c'est lui qui, au tout début de la pièce, répond aux suppliants et au prêtre dont les prières s'adressaient, initialement, à Zeus et Apollon). Qu'Œdipe outrepasse son pouvoir, ou au moins fasse preuve d'une certaine arrogance, c'est bien ce que le coryphée* suggère, au fond, en lui conseillant de consulter Tirésias : n'est-ce pas là une manière de le ramener à plus de modestie, notamment vis-à-vis des dieux, dont le devin est le porte-parole ?

L'ironie tragique

Revenons un instant en arrière. Œdipe, dans sa longue imprécation, a parlé fort et net : pour le meurtrier, nul repos, nul asile. En faisant peser la menace sur quiconque lui porterait assistance ou simplement tairait son nom, il le condamne à la solitude et au malheur :

> **Je voue le criminel, qu'il ait agi tout seul sans se trahir ou avec des complices, à user misérablement, comme un misérable, une vie sans joie.** (p. 35)

Rien d'étonnant, *a priori*, dans cet avertissement solennel, dont on notera tout de même les accents quasi divins (« je voue... »). Mais tout ce passage prend naturellement une signification particulière lorsque l'on connaît le coupable ! Or, l'histoire d'Œdipe est si célèbre, déjà au Ve siècle – à plus forte raison aujourd'hui –, qu'il est difficile d'imaginer que le spectateur ne le connaisse pas. Celui-ci se trouve donc dans cette position de surplomb par rapport au personnage, très fréquente au théâtre, et qui peut être, selon les cas, source de comique ou de pathétique*. Non seulement il sait ce que le personnage ignore, mais de surcroît il le voit se prendre au piège d'un discours et d'une attitude qu'il croit maîtriser et qui en réalité lui échappent complètement. Nous sommes ici au comble de l'ironie (tragique) : Œdipe crée lui-même les conditions de sa perte, et sa violence n'a d'égale que son aveuglement. Car celui dont il parle avec tant de haine, qu'il condamne par avance à un châtiment terrible et sans rémission, n'est autre que... lui-même ! Certaines formules, en particulier, feraient presque sourire :

> **C'est moi qui lutterais pour lui [Laïos], comme s'il eût été mon père.** (p. 36)

ou encore cette prémonition involontaire :

> et, si d'aventure je venais à l'admettre consciemment à mon foyer, je me voue moi-même à tous les châtiments que mes imprécations viennent à l'instant d'appeler sur d'autres. (p. 35)

Le héros apparaît ici (comme souvent par la suite) **au seuil de la vérité**, qui, c'est le cas de le dire, lui crève les yeux (c'est pourquoi il ne la voit pas) !

Voir ou savoir ?

La confrontation – on peut même parler d'affrontement – entre Œdipe et Tirésias constitue un moment capital de la pièce.

La légende de Tirésias – Il est le fils de la nymphe Chariclo. L'origine de sa cécité et de ses pouvoirs de divination a fait l'objet d'au moins deux légendes : selon la première, il aurait jadis surpris Athéna nue au moment de son bain. Pour le punir, la déesse l'aurait rendu aveugle, mais, à la demande de Chariclo, elle lui aurait accordé, en compensation, le don de prophétie.

L'autre légende est plus intéressante : Tirésias est devenu femme à la suite d'une première morsure de serpent, puis, mordu à nouveau, a retrouvé son sexe d'origine. Zeus et Héra, lors d'un débat qui les oppose pour savoir qui, de l'homme ou de la femme, éprouve dans l'amour la plus grande jouissance, ont alors l'idée de consulter celui qui a connu les deux expériences. Ce dernier ayant répondu que c'était, de loin, la femme, Héra, furieuse d'être ainsi percée à jour, lui prend la vue, mais Zeus, en contrepartie, fait de lui un devin !

Intelligence contre prescience – On peut supposer que ce n'est pas de gaieté de cœur qu'Œdipe accepte de consulter Tirésias, qui apparaît d'emblée comme son rival, ce que ne manque pas de laisser entendre le coryphée* en le présentant : « Celui qui, seul parmi les hommes, porte en son sein la vérité » (p. 38). C'est que Tirésias obéit à une autre logique et, d'une certaine manière, appartient à un autre monde qu'Œdipe : alors que celui-ci prétend résoudre l'énigme du meurtre comme il a résolu celle de la Sphinx, par le seul ressort de son esprit (humain, donc), Tirésias, lui, est tout entier du côté du religieux. Et leur conflit n'est rien de moins que celui qui oppose le *logos**, c'est-à-dire la logique humaine et profane, au *muthos**, c'est-à-dire à la fable divine et sacrée (Ouvertures).

C'est ce que résume parfaitement le renversement symbolique du voir et du savoir : le nom d'Œdipe, nous l'avons dit, trouve son origine dans sa blessure aux pieds (*oïdipous* signifie « pieds enflés »); mais en grec, *oïda* veut dire : « je sais ». Autrement dit, l'un guide (il est le roi), voit (il a ses yeux) et sait (il raisonne). L'autre est faible et a besoin d'être guidé, puisqu'il est aveugle. Comme le clame bien imprudemment Œdipe :

> Tu ne vis, toi, que de ténèbres : comment donc me pourrais-tu nuire, à moi, comme à quiconque voit la clarté du jour ? (p. 42)

Et cependant, c'est l'aveugle, le faible qui, d'emblée, affirme sa supériorité en révélant le nom de l'assassin. Ce retournement prendra naturellement toute sa force – dramaturgique et symbolique – à la fin de la pièce.

Une nouvelle manifestation de l'ironie tragique – L'intervention de Tirésias, on le voit, participe doublement de l'ironie tragique. D'une part, c'est Œdipe lui-même qui contraint le devin rétif à dire ce qu'il sait, suscitant ainsi sa propre mise en accusation. D'autre part, le même Œdipe vient à peine de jeter l'anathème sur le meurtrier impuni de Laïos qu'il est, lui, accusé de ce meurtre ! On peut noter à ce sujet que si *Œdipe Roi* est bien, comme on l'a souvent dit, le récit d'une enquête policière, le nom de l'assassin est connu dès le début, ou presque : plus proche, si l'on veut, d'Alfred Hitchcock que d'Agatha Christie, c'est moins la résolution du mystère qui intéresse Sophocle, que le **cheminement psychologique** d'un individu confronté peu à peu à la révélation de sa culpabilité.

Film à l'appui

Menacée par un agresseur dont elle est incapable de se débarrasser elle-même, la ville fait appel à un héros, qui la délivre et en devient le maître.

Mais bientôt, son pouvoir, d'abord perçu comme légitime, devient pesant et intolérable. Sans doute parce que le sauveur ne peut résister à la tentation d'en abuser. Mais peut-être aussi, plus profondément, parce qu'il lui manque, et lui manquera toujours, le fondement de la Loi. Et il finira par être rejeté, chassé par ceux-là mêmes qu'il avait jadis libérés.

On aura identifié l'histoire d'Œdipe et de sa ville, Thèbes. On aura reconnu aussi, peut-être, le motif de plusieurs westerns. Ce parallèle n'a rien de surprenant. La triple dimension mythique, épique et tragique de ce genre cinématographique a été souvent signalée. De quoi s'agit-il ici en particulier ? Du passage de la loi des armes au droit, ou, si l'on veut, de la tyrannie à la démocratie. Comme la tragédie du ve siècle av. J.-C., nombreux sont les westerns qui, dans les années 1950-1960, s'interrogent sur la **légitimité de l'héroïsme individuel**, et consacrent la fondation d'une vraie loi civile dans l'Ouest sauvage en voie de civilisation.

Parmi les plus connus, citons *La Poursuite infernale* (*My Darling Clementine*, 1946) et *L'homme qui tua Liberty Valance* (1962) de John Ford ; *Les Sept Mercenaires* (*The Magnificent Seven*, 1960) de John Sturges, ou encore *Tom Horn, sa véritable histoire* (1979), de William Wiard.

L'homme aux colts d'or (*Warlock*), réalisé par Edward Dmytryk en 1958, raconte également cette fondation : pour les débarrasser de la bande qui les terrorise, les habitants de Warlock ont fait appel, en désespoir de cause, à un mercenaire, Clay Blaisdell (Henry Fonda) accompagné de son ami Tom Morgan (Anthony Quinn). Mais bientôt, face à eux, se dresse le nouveau shérif, Johnny Gannon (Richard Widmark), qui s'efforce, lui, de faire triompher la loi. Dès son arrivée à Warlock, Blaisdell rencontre les représentants de la ville, et les propos qu'il leur tient démontrent qu'il ne se fait guère d'illusions sur ce qui l'attend :

« MISS MARLOW. – Les gens viennent dans l'espoir de vous voir tuer quelqu'un ?
CLAY BLAISDELL. – Je vous déplais, miss…
MISS MARLOW. – … miss Marlow. Peu importe, je suis en minorité.
CLAY BLAISDELL. – Vous serez bientôt en majorité. Les gens m'en veulent très vite. Ça fait partie de mon métier.

M. MC DONALD. – Je vous assure…

CLAY BLAISDELL. – Peu importe. J'arrive en sauveur, payé très cher. J'établis l'ordre, je mate les fortes têtes. On commence par m'en être reconnaissant. Puis il se passe une chose curieuse. On se dit que je détiens trop de pouvoirs. On se met à me craindre. Pas moi, mais ma position. Quand on en sera là, je n'aurai plus rien à faire ici. Je partirai.

MISS MARLOW.. – Vous en parlez comme d'une chose qui vous serait arrivée souvent.

CLAY BLAISDELL. – En effet madame, dans bien des villes… »

Edward Dmytryk, *Warlock*, 20th Century-Fox, 1958.

à vous…

1 – Dans l'échange entre Œdipe et le prêtre, montrez le changement de ton dont il vient d'être question. Vous relèverez, en particulier, les expressions qui témoignent du passage de la prière à l'ordre, et de la supplication à la menace.

2 – De même, dans le dialogue entre Œdipe et Créon, marquez les étapes qui révèlent l'évolution de l'échange entre les deux personnages.

3 – Étudiez la progression du dialogue entre Œdipe et Tirésias. Marquez-en les différentes étapes et montrez comment chacun, tour à tour, prend l'avantage.

4 – Étudiez le jeu des antithèses* : cécité/clairvoyance, savoir/ignorance, pouvoir/impuissance. Montrez comment les deux rivaux en usent à leur propre profit.

5 – Relevez des passages où s'opposent l'ordre humain et l'ordre divin.

DEUXIÈME ÉPISODE

(Créon arrive par la droite.)

CRÉON. – On m'apprend, citoyens, que notre roi Œdipe se répand contre moi en propos singuliers. L'idée m'en est intolérable, et c'est pourquoi je suis ici. Si vraiment il s'imagine qu'à l'heure où nous nous trouvons je lui cause le moindre tort, soit en paroles, soit en actes, je ne souhaite plus de vivre davantage : tel décri me pèserait trop. Des dires de ce genre m'apportent plus qu'un simple préjudice : serait-il pour moi rien de pis que de passer pour un félon[1] dans ma cité, pour un félon à tes yeux ainsi qu'aux yeux de tous les miens ?

LE CORYPHÉE. – L'outrage a bien pu lui être arraché par la colère plutôt qu'énoncé de sang-froid.

1. Félon : traître.

CRÉON. – Et la chose a été formellement dite : ce serait pour servir mes vues que le devin aurait énoncé ces mensonges ?

LE CORYPHÉE. – Oui, c'est bien là ce qu'il disait, mais dans quel esprit ? je l'ignore.

CRÉON. – Mais conservait-il le regard, le jugement d'un homme ayant sa tête, alors qu'il lançait cette accusation contre moi ?

LE CORYPHÉE. – Je ne sais pas : je n'ai point d'yeux pour ce que font mes maîtres. Mais le voici qui sort à l'instant du palais.

(Œdipe paraît sur son seuil.)

ŒDIPE. – Hé là ! que fais-tu donc ici ? Quoi ! tu as le front, insolent, de venir jusqu'à mon palais, assassin qui en veux clairement à ma vie, brigand visiblement avide de mon trône ! Mais, voyons, parle, au nom des dieux ! qu'as-tu saisi en moi – lâcheté ou sottise ? – pour que tu te sois décidé à me traiter de cette sorte ? Ou pensais-tu que je ne saurais pas surprendre ton complot en marche, ni lui barrer la route, si je le surprenais ? La sottise est plutôt dans ton projet, à toi, toi qui, sans le peuple, toi qui, sans amis, pars à la conquête d'un trône que l'on n'a jamais obtenu que par le peuple et par l'argent.

CRÉON. – Sais-tu ce que tu as à faire ? Tu as parlé : laisse-moi parler à mon tour, puis juge toi-même, une fois que tu m'auras entendu.

ŒDIPE. – Tu parles bien, mais moi, je t'entends mal. Je te trouve à la fois hostile et inquiétant.

CRÉON. – Sur ce point justement, commence par m'écouter.

ŒDIPE. – Sur ce point justement, ne commence pas par dire que tu n'es pas un félon.

CRÉON. – Si vraiment tu t'imagines qu'arrogance sans raison constitue un avantage, tu n'as plus alors ton bon sens.

ŒDIPE. – Si vraiment tu t'imagines qu'un parent qui trahit les siens n'en doit pas être châtié, tu as perdu aussi le sens.

CRÉON. – J'en suis d'accord. Rien de plus juste. Mais quel tort prétends-tu avoir subi de moi ? dis-le.

ŒDIPE. – Oui ou non, soutenais-tu que je devais envoyer quérir l'auguste devin ?

CRÉON. – Et, à cette heure encore, je suis du même avis.

ŒDIPE. – Dis-moi donc depuis quand votre roi Laïos...

CRÉON. – A fait quoi ? je ne saisis pas toute ta pensée.

ŒDIPE. – ... a disparu, victime d'une agression mortelle.

CRÉON. – On compterait depuis beaucoup de longues et de vieilles années.

ŒDIPE. – Notre devin déjà exerçait-il son art ?

CRÉON. – Oui, déjà aussi sage, aussi considéré.

ŒDIPE. – Parla-t-il de moi en cette occurrence ?

CRÉON. – Non, jamais, du moins devant moi.

ŒDIPE. – Mais ne fîtes-vous pas d'enquête sur le mort ?

CRÉON. – Si ! cela va de soi – sans aboutir à rien.

ŒDIPE. – Et pourquoi le sage devin ne parlait-il donc pas alors ?

CRÉON. – Je ne sais. Ma règle est de me taire quand je n'ai pas d'idée.

ŒDIPE. – Ce que tu sais et ce que tu diras, si tu n'as pas du moins perdu le sens…

CRÉON. – Quoi donc ? Si je le sais, je ne cacherai rien.

ŒDIPE. – C'est qu'il ne m'eût jamais, sans accord avec toi, attribué la mort de Laïos.

CRÉON. – Si c'est là ce qu'il dit, tu le sais par toi-même. Je te demande seulement de répondre, toi, à ton tour, ainsi que je l'ai fait pour toi.

ŒDIPE. – Soit ! interroge-moi : ce n'est pas en moi qu'on découvrira l'assassin !

CRÉON. – Voyons : tu as bien épousé ma sœur.

ŒDIPE. – Il me serait bien malaisé d'aller prétendre le contraire.

CRÉON. – Tu règnes donc sur ce pays avec des droits égaux aux siens ?

ŒDIPE. – Et tout ce dont elle a envie, sans peine elle l'obtient de moi.

CRÉON. – Et n'ai-je pas, moi, part égale de votre pouvoir à tous deux ?

ŒDIPE. – Et c'est là justement que tu te révèles un félon !

CRÉON. – Mais non ! Rends-toi seulement compte de mon cas. Réfléchis à ceci d'abord : crois-tu que personne aimât mieux régner dans le tremblement sans répit, que dormir paisible tout en jouissant du même pouvoir ? Pour moi, je ne suis pas né avec le désir d'être roi, mais bien avec celui de vivre comme un roi. Et de même quiconque est doué de raison. Aujourd'hui, j'obtiens tout de toi, sans le payer d'aucune crainte : si je régnais moi-même, que de choses je devrais faire malgré moi ! Comment pourrais-je donc trouver le trône préférable à un pouvoir, à une autorité qui ne m'apportent aucun souci ? Je ne me leurre pas au point de souhaiter plus qu'honneur uni à profit. Aujourd'hui je me trouve à mon aise avec tous, aujourd'hui chacun me fête, aujourd'hui quiconque a besoin de toi vient me chercher jusque chez moi : pour eux, le succès est là tout entier. Et je lâcherais ceci pour cela ? Non, raison ne saurait devenir déraison. Jamais je n'eus de goût pour une telle idée. Et je n'aurais pas admis davantage de m'allier à qui aurait agi ainsi. La preuve ? Va à Pythô tout d'abord, et demande si je t'ai rapporté exactement l'oracle. Après quoi, si tu peux prouver que j'aie comploté avec le devin, fais-moi mettre à mort : ce n'est pas ta voix seule qui me condamnera, ce sont nos deux voix, la mienne et la tienne. Mais ne va pas, sur un simple soupçon, m'incriminer sans m'avoir entendu. Il n'est pas équitable de prendre à la légère les méchants pour les bons, les bons pour les méchants. Rejeter un ami loyal, c'est en fait se priver d'une part de sa propre vie, autant dire de ce qu'on chérit plus que tout. Mais cela, il faut du temps pour l'apprendre de façon sûre. Le temps seul est capable de montrer l'honnête homme, tandis qu'il suffit d'un jour pour dévoiler un félon.

LE CORYPHÉE. – Qui prétend se garder d'erreur trouvera qu'il a bien parlé. Trop vite décider n'est pas sans risque, roi.

ŒDIPE. – Quand un traître, dans l'ombre, se hâte vers moi, je dois me hâter, moi aussi, de prendre un parti. Que je reste là sans agir, voilà son coup au but et le mien manqué.

CRÉON. – Que souhaites-tu donc ? M'exiler du pays ?

ŒDIPE. – Nullement : c'est ta mort que je veux, ce n'est pas ton exil.

CRÉON. – Mais montre-moi d'abord la raison de ta haine.

ŒDIPE. – Tu prétends donc être rebelle ? Tu te refuses à obéir ?

CRÉON. – Oui, quand je te vois hors de sens.

ŒDIPE. – J'ai le sens de mon intérêt.

CRÉON. – L'as-tu du mien aussi ?

ŒDIPE. – Tu n'es, toi, qu'un félon.

CRÉON. – Et si tu ne comprends rien ?

ŒDIPE. – N'importe ! obéis à ton roi.

CRÉON. – Pas à un mauvais roi.

ŒDIPE. – Thèbes ! Thèbes !

CRÉON. – Thèbes est à moi autant qu'à toi.

LE CORYPHÉE. – Ô princes, arrêtez !... Mais je vois Jocaste sortir justement du palais. Il faut qu'elle vous aide à régler la querelle qui vous a mis aux prises.

(Jocaste apparaît au seuil du palais et s'interpose entre Œdipe et Créon.)

JOCASTE. – Malheureux ! qu'avez-vous à soulever ici une absurde guerre de mots ? N'avez-vous pas de honte, lorsque votre pays souffre ce qu'il souffre, de remuer ici vos rancunes privées ? *(À Œdipe.)* Allons, rentre au palais. Et toi chez toi, Créon. Ne faites pas d'un rien une immense douleur.

CRÉON. – C'est ton époux, ma sœur, c'est Œdipe, qui prétend me traiter d'une étrange façon et décider lui-même s'il me chassera de Thèbes ou m'arrêtera pour me mettre à mort.

ŒDIPE. – Parfaitement ! Ne l'ai-je pas surpris en train de

monter criminellement contre ma personne une intrigue criminelle ?

CRÉON. – Que toute chance m'abandonne et que je meure à l'instant même sous ma propre imprécation, si j'ai jamais fait contre toi rien de ce dont tu m'accuses !

JOCASTE. – Au nom des dieux, Œdipe, sur ce point-là, crois-le. Respecte sa parole – les dieux en sont garants – respecte-moi aussi, et tous ceux qui sont là.

Assez agité.

LE CHŒUR. – *Cède à sa prière, montre bon vouloir, reprends ton sang-froid, je t'en prie, seigneur !*

ŒDIPE. – Alors que dois-je t'accorder ?

LE CHŒUR. – *Respecte ici un homme qui jamais ne fut fou, et qu'aujourd'hui son serment rend sacré.*

ŒDIPE. – Mais sais-tu bien ce que tu souhaites ?

LE CORYPHÉE. – Je le sais.

ŒDIPE. – Eh bien ! dis ce que tu veux dire.

LE CHŒUR. – *C'est ton parent ; un serment le protège : ne lui fais pas l'affront de l'accuser sur un simple soupçon.*

ŒDIPE. – Voilà donc ce que tu demandes ! En ce cas, sache-le bien, tu veux ma mort, ou mon exil.

LE CHŒUR. – *Non, j'en prends à témoin le dieu qui prime tous les dieux, j'en prends à témoin le Soleil, que je périsse ici dans les derniers supplices, abandonné des dieux, abandonné des miens, si j'ai telle pensée !*
Mais ce pays qui meurt désole mon âme, si je dois voir maintenant s'ajouter aux maux d'hier des maux qui viennent de vous deux.

ŒDIPE. – Eh bien soit ! qu'il parte ! dussé-je périr à coup sûr, ou me voir expulsé par force et ignominieusement de Thèbes. C'est ton langage qui me touche ; il m'apitoie, et non le sien. Où qu'il soit, il sera, lui, l'objet de ma haine.

CRÉON. – Tu cèdes la rage au cœur, on le voit, pour être ensuite tout confus, quand ton courroux sera tombé. Des caractères comme le tien sont surtout pénibles à eux-mêmes, et c'est bien justice.

ŒDIPE. – Vas-tu donc me laisser en paix et t'en aller !

CRÉON. – Je m'en vais, tu m'auras méconnu ; mais pour eux je reste l'homme que j'étais.

(Il s'éloigne par la gauche.)

Assez agité.
LE CHŒUR. – *Que tardes-tu, femme, à l'emmener chez lui ?*

JOCASTE. – Je veux savoir d'abord ce qui est arrivé.

LE CHŒUR. – *Une idée qu'on s'est faite sur des mots mal compris. Mais on se pique aussi d'un injuste reproche.*

JOCASTE. – Tous deux sont responsables, alors ?

LE CORYPHÉE. – Oui.

JOCASTE. – Mais quel était donc le propos ?

LE CHŒUR. – *C'est assez, bien assez, quand Thèbes souffre déjà tant, d'en rester où finit l'affaire.*

ŒDIPE. – Tu vois à quoi tu aboutis, malgré ta bonne intention, en faisant ainsi fléchir et en émoussant mon courroux ?

LE CHŒUR. – *Ô roi, je te l'ai dit plus d'une fois déjà, je me montrerais, sache-le, insensé, privé de raison, si je me détachais de toi.*
C'est toi qui, quand ma cité était en proie aux traverses, as su la remettre dans le sens du vent : aujourd'hui encore, si tu peux, pour elle sois le bon pilote.

JOCASTE. – Au nom des dieux, dis-moi, seigneur, ce qui a bien pu, chez toi, soulever pareille colère.

ŒDIPE. – Oui, je te le dirai. Je te respecte, toi, plus que tous ceux-là. C'est Créon, c'est le complot qu'il avait formé contre moi.

JOCASTE. – Parle, que je voie si tu peux exactement dénoncer l'objet de cette querelle.

ŒDIPE. – Il prétend que c'est moi qui ai tué Laïos.

JOCASTE. – Le sait-il par lui-même ? ou le tient-il d'un autre ?

ŒDIPE. – Il nous a dépêché un devin – un coquin. Pour lui, il garde sa langue toujours libre d'impudence.

JOCASTE. – Va, absous-toi toi-même du crime dont tu parles, et écoute-moi. Tu verras que jamais créature humaine ne posséda rien de l'art de prédire. Et je vais t'en donner la preuve en peu de mots. Un oracle arriva jadis à Laïos, non d'Apollon lui-même, mais de ses serviteurs. Le sort qu'il avait à attendre était de périr sous le bras d'un fils qui naîtrait de lui et de moi. Or Laïos, dit la rumeur publique, ce sont des brigands qui l'ont abattu, au croisement de deux chemins, et d'autre part, l'enfant une fois né, trois jours ne s'étaient pas écoulés, que déjà Laïos, lui liant les talons, l'avait fait jeter sur un mont désert. Là aussi, Apollon ne put faire ni que le fils tuât son père, ni que Laïos, comme il le redoutait, pérît par la main de son fils. C'était bien pourtant le destin que des voix prophétiques nous avaient signifié ! De ces voix-là ne tiens donc aucun compte. Les choses dont un dieu poursuit l'achèvement, il saura bien les révéler lui-même.

ŒDIPE. – Ah ! comme à t'entendre, je sens soudain, ô femme, mon âme qui s'égare, ma raison qui chancelle !

JOCASTE. – Quelle inquiétude te fait soudainement regarder en arrière ?

ŒDIPE. – Tu as bien dit ceci : Laïos aurait été tué au croisement de deux chemins ?

JOCASTE. – On l'a dit alors, on le dit toujours.

ŒDIPE. – Et en quel pays se place l'endroit où Laïos aurait subi ce sort?

JOCASTE. – Le pays est la Phocide; le carrefour est celui où se joignent les deux chemins qui viennent de Delphes et de Daulia.

ŒDIPE. – Et combien de temps se serait-il passé depuis l'événement?

JOCASTE. – C'est un peu avant le jour où fut reconnu ton pouvoir sur Thèbes que la nouvelle en fut apportée ici.

ŒDIPE. – Ah! que songes-tu donc, Zeus, à faire de moi?

JOCASTE. – Quel est le souci qui te tient, Œdipe?

ŒDIPE. – Attends encore un peu pour m'interroger. Et Laïos, quelle était son allure? quel âge portait-il?

JOCASTE. – Il était grand. Les cheveux sur son front commençaient à blanchir. Son aspect n'était pas très éloigné du tien.

ŒDIPE. – Malheureux! je crains bien d'avoir, sans m'en douter, lancé contre moi-même tout à l'heure d'étranges malédictions.

JOCASTE. – Que dis-tu, seigneur? Je tremble à te regarder.

ŒDIPE. – Je perds terriblement courage à l'idée que le devin ne voie trop clair. Tu achèveras de me le prouver d'un seul mot encore.

JOCASTE. – Certes j'ai peur aussi ; mais apprends-moi ce que tu veux savoir et je te répondrai.

ŒDIPE. – Laïos allait-il en modeste équipage ? ou entouré de gardes en nombre, ainsi qu'il convient à un souverain ?

JOCASTE. – Ils étaient cinq en tout, dont un héraut[1]. Un chariot portait Laïos.

ŒDIPE. – Ah ! cette fois tout est clair !... Mais qui vous a fait le récit, ô femme ?

JOCASTE. – Un serviteur, le seul survivant du voyage.

ŒDIPE. – Est-il dans le palais, à l'heure où nous sommes ?

JOCASTE. – Non, sitôt de retour, te trouvant sur le trône et voyant Laïos mort, le voilà qui me prend la main, me supplie de le renvoyer à ses champs, à la garde de ses bêtes. Il voulait être désormais le plus loin possible de Thèbes. Je le laissai partir. Ce n'était qu'un esclave, mais qui méritait bien cela, et mieux encore.

ŒDIPE. – Pourrait-on nous le faire revenir au plus vite ?

JOCASTE. – On le peut. Mais pourquoi désires-tu si ardemment sa présence ?

1. Héraut : l'homme d'armes qui précède et annonce le convoi.

ŒDIPE. – Je crains pour moi, ô femme, je crains d'avoir trop parlé. Et c'est pourquoi je veux le voir.

JOCASTE. – Il viendra. Mais moi aussi, ne mérité-je pas d'apprendre ce qui te tourmente, seigneur?

ŒDIPE. – Je ne saurais te dire non : mon anxiété est trop grande. Quel confident plus précieux pourrais-je donc avoir que toi, au milieu d'une telle épreuve? Mon père est Polybe – Polybe de Corinthe. Mérope, ma mère, est une Dorienne[1]. J'avais le premier rang là-bas, parmi les citoyens, lorsque survint un incident, qui méritait ma surprise sans doute, mais ne méritait pas qu'on le prît à cœur comme je le pris. Pendant un repas, au moment du vin, dans l'ivresse, un homme m'appelle «enfant supposé». Le mot me fit mal; j'eus peine ce jour-là à me contenir, et dès le lendemain j'allai questionner mon père et ma mère. Ils se montrèrent indignés contre l'auteur du propos; mais, si leur attitude en cela me satisfit, le mot n'en cessait pas moins de me poindre et faisait son chemin peu à peu dans mon cœur. Alors, sans prévenir mon père ni ma mère, je pars pour Pythô; et là Phœbos me renvoie sans même avoir daigné répondre à ce pour quoi j'étais venu, mais non sans avoir en revanche prédit à l'infortuné que j'étais le plus horrible, le plus lamentable destin : j'entrerais au lit de ma mère, je ferais voir au monde une race monstrueuse, je serais l'assassin du père dont j'étais né! Si bien qu'après l'avoir entendu, à jamais, sans plus de façons, je laisse là Corinthe et son territoire, je m'enfuis vers des lieux où je ne pusse

1. Dorienne : les Doriens étaient un peuple de Grèce. Leurs principales cités étaient Corinthe et Mégare.

voir se réaliser les ignominies que me prédisait l'effroyable oracle. Et voici qu'en marchant j'arrive à l'endroit même où tu prétends que ce prince aurait péri... Eh bien ! à toi, femme, je dirai la vérité tout entière. Au moment où, suivant ma route, je m'approchais du croisement des deux chemins, un héraut, puis, sur un chariot attelé de pouliches, un homme tout pareil à celui que tu me décris, venaient à ma rencontre. Le guide[1], ainsi que le vieillard lui-même, cherche à me repousser de force. Pris de colère, je frappe, moi, celui qui me prétend écarter de ma route, le conducteur. Mais le vieux me voit, il épie l'instant où je passe près de lui et de son chariot, il m'assène en pleine tête un coup de son double fouet. Il paya cher ce geste-là ! En un moment, atteint par le bâton que brandit cette main, il tombe à la renverse et du milieu du chariot il s'en va rouler à terre – et je les tue tous... Si quelque lien existe entre Laïos et cet inconnu, est-il à cette heure un mortel plus à plaindre que celui que tu vois ? Est-il homme plus abhorré[2] des dieux ? Étranger, citoyen, personne ne peut plus me recevoir chez lui, m'adresser la parole, chacun me doit écarter de son seuil. Bien plus, c'est moi-même qui me trouve aujourd'hui avoir lancé contre moi-même les imprécations que tu sais. À l'épouse du mort j'inflige une souillure, quand je la prends entre ces bras qui ont fait périr Laïos ! Suis-je donc pas un criminel ? suis-je pas tout impureté ? puisqu'il faut que je m'exile, et qu'exilé je renonce à revoir les miens, à fouler de mon pied le sol de ma patrie ; sinon, je devrais tout ensemble entrer dans le lit de ma mère et devenir l'assassin de mon père, ce Polybe qui m'a engendré et nourri. Est-ce donc pas un dieu cruel qui m'a réservé ce

1. Guide : le mot désigne ici le héraut (voir note 1, p. 72).
2. Abhorré : haï, détesté.

destin ? On peut le dire, et sans erreur. Ô sainte majesté des dieux, non, que jamais je ne voie ce jour-là ! Ah ! que plutôt je parte et que je disparaisse du monde des humains avant que la tache d'un pareil malheur soit venue souiller mon front !

LE CORYPHÉE. – Tout cela, je l'avoue, m'inquiète, seigneur. Mais tant que tu n'as pas entendu le témoin, conserve bon espoir.

ŒDIPE. – Oui, mon espoir est là : attendre ici cet homme, ce berger – rien de plus.

JOCASTE. – Mais pourquoi tel désir de le voir apparaître ?

ŒDIPE. – Pourquoi ? Voici pourquoi : que nous le retrouvions disant ce que tu dis, et je suis hors de cause.

JOCASTE. – Et quels mots si frappants ai-je donc pu te dire ?

ŒDIPE. – C'étaient des brigands, disais-tu, qui avaient, selon lui, tué Laïos. Qu'il répète donc ce pluriel, et ce n'est plus moi l'assassin : un homme seul ne fait pas une foule. Au contraire, s'il parle d'un homme, d'un voyageur isolé, voilà le crime qui retombe clairement sur mes épaules.

JOCASTE. – Mais non, c'est cela, sache-le, c'est cela qu'il a proclamé ; il n'a plus le moyen de le démentir : c'est la ville entière, ce n'est pas moi seule qui l'ai entendu. Et, en tout cas, même si d'aventure il déviait de son ancien propos, il ne prouverait pas pour cela, seigneur, que son récit du meurtre est cette fois le vrai, puisque aussi bien ce Laïos devait, d'après Apollon, périr sous le bras de mon fils, et qu'en fait ce n'est pas ce malheureux fils qui a pu lui donner la mort, attendu qu'il est mort lui-même le premier. De sorte que désormais, en matière de prophéties, je ne tiendrai pas plus de compte de ceci que de cela.

ŒDIPE. – Tu as raison ; mais, malgré tout, envoie quelqu'un qui nous ramène ce valet. N'y manque pas.

JOCASTE. – J'envoie à l'instant même. Mais rentrons chez nous. Il n'est rien qui te plaise, que je ne sois, moi, prête à faire.

(Ils rentrent ensemble dans le palais.)

DEUXIÈME STASIMON : chant du chœur

Modéré.

LE CHŒUR. – *Ah ! fasse le Destin que toujours je conserve la sainte pureté dans tous mes mots, dans tous mes actes.*
Les lois qui leur commandent
siègent dans les hauteurs : elles sont nées dans le céleste éther[1]*, et l'Olympe*[2]
est leur seul père ; aucun être mortel ne leur donna le jour ;
jamais l'oubli ne les endormira : un dieu puissant est en elle, un dieu qui ne vieillit pas.

1. Éther : terme qui désigne les régions célestes, le royaume des dieux.
2. Olympe : la montagne des dieux.

La démesure enfante le tyran. Lorsque la démesure s'est gavée follement, sans souci de l'heure ni de son intérêt,
et lorsqu'elle est montée au plus haut, sur le faîte, la voilà soudain qui s'abîme dans un précipice fatal,
où dès lors ses pieds brisés se refusent à la servir. Or, c'est la lutte glorieuse pour le salut de la cité qu'au contraire je demande à Dieu de ne voir jamais s'interrompre : Dieu est ma sauvegarde et le sera toujours.

Celui en revanche qui va son chemin, étalant son orgueil dans ses gestes et ses mots, sans crainte de la Justice, sans respect des temples divins, celui-là, je le voue à un sort douloureux, qui châtie son orgueil funeste,
du jour qu'il se révèle apte à ne rechercher que profits criminels, sans même reculer devant le sacrilège, à porter follement les mains sur ce qui est inviolable.
Est-il en pareil cas personne qui puisse se flatter d'écarter de son âme les traits de la colère ? Si ce sont de pareilles mœurs que l'on honore désormais, quel besoin ai-je vraiment deformer ici des chœurs ?

Non, je n'irai plus vénérer le centre auguste de la terre, je n'irai plus aux sanctuaires ni d'Abae[1] *ni d'Olympie, si tous les humains ne sont pas d'accord pour flétrir de telles pratiques.*
Ah ! Zeus souverain, puisque, si ton renom dit vrai, tu es maître de l'Univers, ne permets pas qu'elles échappent à tes regards, à ta puissance éternelle.
Ainsi donc on tient pour caducs et l'on prétend abolir les oracles rendus à l'antique Laïos ! Apollon se voit privé ouvertement de tout honneur. Le respect des dieux s'en va.

1. Abae, Olympie : villes grecques où Apollon avait un sanctuaire.

Arrêt sur lecture 2

Ce deuxième épisode voit Œdipe confronté successivement à Créon puis à Jocaste. C'est l'occasion d'approfondir la personnalité et d'étudier la fonction de ces deux protagonistes essentiels de la pièce.

Mais l'intérêt du passage ne s'arrête pas là. Nous nous trouvons en effet à un moment décisif de l'intrigue : point culminant de la **démesure œdipienne** et début de la chute du héros; instant crucial aussi où, sous l'impulsion bien involontaire de la reine, à l'enquête sur le meurtre de Laïos va se substituer pour Œdipe la quête de sa propre identité; amorce enfin de la désunion entre la cité et son sauveur, signifiée par le chœur qui, pour la première fois, réprouve l'orgueil du tyran et en appelle au respect du pouvoir divin... À tous égards, ce centre de la tragédie en est également le tournant.

Créon, l'anti-Œdipe

Fils de Ménécée et frère de Jocaste, Créon est devenu régent de Thèbes à la mort de Laïos. Pour tenter de délivrer sa ville de la Sphinx – laquelle, selon certaines versions de la légende, aurait dévoré son propre fils, Hémon –, il a promis le trône et la main de sa sœur au vainqueur du monstre. C'est donc de lui qu'Œdipe tient son pouvoir, et peut-être celui-ci lui en veut-il secrètement.

Créon avant *Antigone*

Si, comme on va le voir, son rôle dans *Œdipe Roi* est important, c'est par la suite qu'il prendra toute sa stature tragique, et cela au prix d'une métamorphose radicale. En effet, la postérité a surtout retenu de Créon le souvenir de l'inflexible souverain de Thèbes qui, après le combat fratricide des deux fils d'Œdipe, Étéocle et Polynice, refuse à ce dernier toute sépulture, et fait emmurer vivante leur sœur, Antigone, coupable d'avoir transgressé l'interdit.

Cette histoire, on le sait, a inspiré de multiples œuvres, à commencer par une autre tragédie de Sophocle, et, bien que le personnage de Créon ait été quelquefois réhabilité (par exemple par Jean Anouilh), son image est restée dans l'ensemble celle d'un tyran cruel, atteint à son tour de démesure, et qui, au nom du prétendu intérêt d'État, bafoue les lois humaines et divines. Or, c'est très exactement sous le jour contraire qu'il apparaît dans notre pièce.

Un modèle grec

Face à l'*hùbris** d'Œdipe, Créon est ici l'incarnation même de la *sophrosynè**, c'est-à-dire de la mesure et de la tempérance. Pacifique sans être soumis, il obéit au roi, mais dans certaines limites seulement, qui sont celles de l'intérêt de la cité :

> ŒDIPE. – N'importe ! obéis à ton roi.
> CRÉON. – Pas à un mauvais roi.
> ŒDIPE. – Thèbes ! Thèbes !
> CRÉON. – Thèbes est à moi autant qu'à toi. (p. 65)

Sa dignité et son sens de l'honneur le poussent à réagir avec indignation lorsqu'il se trouve accusé à tort de trahison, mais il saura se montrer magnanime une fois la vérité révélée au grand jour. Et entre la violence d'Œdipe (« Créon. – Que souhaites-tu donc ? M'exiler du pays ? Œdipe. – Nullement : c'est ta mort que je veux, ce n'est pas ton exil », p. 64) et la générosité finale de Créon (« Je ne viens point ici pour te railler, Œdipe ; moins encore pour te reprocher tes insultes de naguère », p. 114), la comparaison est tout à l'honneur du second.

Ajoutons que celui-ci témoigne tout au long de la pièce de son respect des dieux, qu'il ne manque pas une occasion de consulter, quand son rival prétend, lui, passer outre. Fidèle, juste, noble, droit, bon, pieux... tel nous apparaît donc ce personnage en tout point positif, véritable modèle dont la perfection morale ne fait que mettre en lumière les fautes et les défauts d'Œdipe.

Sagesse, raison et bonheur

Mais n'oublions pas que, pour les Grecs, la morale est indissociable de la sagesse, qui est elle-même une certaine philosophie du bonheur. Or Créon, au cours de son entrevue orageuse avec Œdipe, lui donne sur ce point une véritable leçon, d'où il ressort que rien ne vaut la tranquillité d'âme (« crois-tu que personne aimât mieux régner dans le tremblement sans répit, que dormir paisible tout en jouissant du même pouvoir ? », p. 63) et l'affection d'autrui (« Aujourd'hui je me trouve à mon aise avec tous, aujourd'hui chacun me fête », p. 63). Face à un Œdipe solitaire, morbide et rongé par l'orgueil, Créon incarne un idéal de simplicité (« Et je lâcherais ceci pour cela ? », p. 63), de sociabilité et d'amour de la vie. À la folie du pouvoir il oppose la raison du bonheur :

> Non, raison ne saurait devenir déraison.

Et il est difficile de croire que Sophocle – et à travers lui la cité tout entière – ne s'exprime pas ici par la bouche du régent, dont les considérations sur le bonheur et sur le temps (« Mais cela, il faut du temps pour l'apprendre de façon sûre », p. 64) prendront une signification et une force rétrospectives à la fin de la pièce.

Au reste, de ce point de vue, les destins des deux personnages semblent curieusement se croiser : le tyran excessif d'*Œdipe Roi* découvrira la mesure et la sagesse dans *Œdipe à Colone*, tandis que le régent ici sage et généreux se transformera en despote odieux dans *Antigone*. Ce sont alors ses paroles à lui aussi qui auront une résonance particulière et ironique :

> Le temps seul est capable de montrer l'honnête homme !

Texte à l'appui : un autre visage de Créon

Nous avons rappelé un peu plus haut le célèbre argument de l'*Antigone* de Sophocle. Comme Créon persiste dans son refus de faire inhumer Polynice et s'apprête à faire mourir Antigone, qui a désobéi, le devin Tirésias lui révèle l'opposition des dieux eux-mêmes à ses résolutions : « Va, cède au mort, ne cherche pas à atteindre qui n'est plus. » Le conflit est inévitable.

« CRÉON. – Ah ! vieillard, vous voilà donc tous à tirer ici sur moi, comme des archers sur leur cible, et les devins mêmes ne m'épargnent pas ! Grâce à leur engeance, je deviens depuis quelque temps celui qu'on vend, dont on trafique ! Soit ! courez après les profits, achetez tout l'or blanc de Sardes, si vous le voulez, et tout l'or de l'Inde ; mais, pour cet homme-là, vous ne le mettrez pas, je vous jure, au tombeau. Non, quand les aigles de Zeus l'emporteraient pour le manger jusques au trône du dieu, même alors, ne comptez pas que, par crainte d'une souillure, je vous laisse l'enterrer, moi. Je sais trop que souiller les dieux n'est pas au pouvoir d'un mortel. On voit les plus habiles, vieux Tirésias, choir, et de bien vilaines chutes, lorsque, pour un profit, ils tentent de donner une belle apparence à de bien pauvres raisons.

TIRÉSIAS. – Hélas ! hélas ! est-il homme qui sache et qui se rende compte...

CRÉON. – De quoi ? qu'est-ce encore que ce lieu commun ?

TIRÉSIAS. – ... à quel point la sagesse est le premier des biens.

CRÉON. – Comme à mes yeux la déraison est bien le pire des malheurs.

TIRÉSIAS. – C'est cependant le mal dont je te vois atteint.

CRÉON. – Je me refuse à répliquer à un devin par des outrages.

TIRÉSIAS. – Est-ce pas m'outrager que d'appeler mes oracles menteurs ?

CRÉON. – L'engeance des devins est avide d'argent.

TIRÉSIAS. – Et celle des tyrans de profits mal acquis.

CRÉON. – Oublies-tu que tu parles d'hommes qui sont tes chefs ?

TIRÉSIAS. – Certes, non : c'est par moi que tu as sauvé Thèbes.

CRÉON. – Tu es devin expert, mais qui se plaît au mal.
TIRÉSIAS. – Tu vas m'induire à remuer des mots faits pour rester enseve-
lis en moi.
CRÉON. – Soit ! si ce n'est pas en vue d'un profit.
TIRÉSIAS. – C'est pourtant mon dessein : en vue de ton profit.
CRÉON. – Assez ! ma volonté n'est pas à vendre, sache-le. »

Antigone, in Sophocle, *Tragédies*,
trad. Paul Mazon, Gallimard, coll. « Folio classique », 1973.

L'énigme Jocaste

Celle qui est à la fois la mère et la femme d'Œdipe porte des noms différents selon les versions du mythe. Ainsi, chez Homère, elle s'appelle Épicasté.

Bien qu'elle se trouve – c'est le moins qu'on puisse dire ! – au cœur de l'intrigue (elle est le relais le plus direct entre le passé – Laïos – et le présent – Œdipe –, dont elle détient le secret de la destinée), son rôle est sensiblement moins important que celui de Créon, ou même de Tirésias. Mais ce retrait fait partie intégrante du personnage, et contribue à son mystère (on n'entre guère dans les arcanes de sa psychologie). D'ailleurs, la fonction de Jocaste dans l'intrigue est paradoxale : elle semble mettre toute son énergie à empêcher l'action plutôt qu'à la déclencher ou à y contribuer, et va pourtant avoir, à son corps défendant, une responsabilité essentielle dans la révélation fatale.

Jocaste, une autre anti-Œdipe

Dès sa première apparition, tout est dit ou presque : Jocaste s'interpose entre son mari et son frère, et tente de ramener la paix entre eux :

> Malheureux ! qu'avez-vous à soulever ici une absurde guerre de mots ? N'avez-vous pas de honte, lorsque votre pays souffre ce qu'il souffre, de remuer ici vos rancunes privées ? (p. 65)

On voit déjà, dans cette volonté pacificatrice, ce qui l'oppose à Œdipe, qui s'est engagé, lui, corps et âme dans la querelle. Plus profondément, alors que son époux est entièrement – et pour son malheur – voué à l'action et à la quête de la vérité, Jocaste se caractérise par sa **force d'inertie** et son refus de savoir. En réponse à la curiosité obsessionnelle du héros, elle affirme ne s'intéresser ni à l'avenir (« Tu verras que jamais créature humaine ne posséda rien de l'art de prédire », p. 69 ; « désormais, en matière de prophéties, je ne tiendrai pas plus de compte de ceci que de cela », p. 75), ni au passé (« Œdipe. – Oui, mon espoir est là : attendre ici cet homme, ce berger – rien de plus. Jocaste. – Mais pourquoi tel désir de le voir apparaître ? », p. 74). Et lorsqu'il entreprendra de découvrir sa véritable identité, elle fera tout pour l'en dissuader (p. 98-99).

Un rôle décisif

Le dialogue entre Œdipe et Jocaste est ponctué de deux récits : dans le premier, la reine rapporte la prédiction faite à Laïos et l'exposition de leur fils sur le mont Cithéron ; dans le second, le roi rappelle les circonstances qui l'ont amené à fuir Corinthe, à entendre de la bouche de l'oracle la même funeste prophétie, puis à tuer un homme sur le chemin de Thèbes. Le moment est crucial : c'est ici que se (re)nouent les fils du passé et du présent, ici que le puzzle commence à se reconstituer.

Or – et nous avons là une nouvelle manifestation de l'**ironie tragique** –, c'est justement Jocaste qui va, par ses propos, instiller le doute dans l'esprit d'Œdipe et l'engager dans la quête qui lui sera fatale. On jugera du double paradoxe : Jocaste, soucieuse de rassurer son époux, lui dévoile une partie de la vérité sur son origine et, ce faisant, le plonge dans l'effroi et le désespoir ; et de son côté, Œdipe, qui veut obstinément savoir, n'y parviendra que grâce à celle qui fait tout, au contraire, pour l'en empêcher !

Interrogations et soupçons

En somme, nous ne savons pas grand-chose de Jocaste, et c'est justement par quoi elle nous intéresse. Ainsi, les réserves (justifiées) émises sur la vraisemblance de l'histoire la concernent, elle, plus encore qu'Œdipe. Dans quelles circonstances a-t-elle été amenée, malgré l'interdit, à donner naissance à un fils ? Quelle fut sa part dans la décision de le faire mettre à mort ? Pourquoi a-t-elle renoncé si vite à rechercher les assassins de Laïos ? Comment a-t-elle pu ne pas faire le lien entre le sort réservé jadis à son enfant et l'arrivée de cet étranger « aux pieds enflés », de surcroît du même âge que son fils s'il avait vécu ? Pourquoi tant insister pour qu'Œdipe renonce à son enquête ? Quel sens exact accorder à son rejet impie des oracles ?

Toutes ces questions, on s'en doute, ont alimenté les débats sur la faute de la reine, dont le châtiment, en fin de compte, se révélera plus tragique encore que celui d'Œdipe. Et lorsque ce dernier se crèvera les yeux avec les broches de sa mère-épouse, faudra-t-il voir là un signe supplémentaire de la culpabilité de celle par qui tout le malheur, selon certains, est arrivé ?

Pour une lecture : le chœur, porte-parole de la cité

Le rôle du chœur a évolué au cours de la brève histoire de la tragédie grecque : envahissant chez Eschyle, qui, sur ce point comme sur bien d'autres, reste proche du dithyrambe* originel ; très atrophié chez Euripide, qui ne le fait plus guère participer à l'action ; c'est chez Sophocle, selon Aristote (qui voit en lui un modèle d'équilibre), qu'il occupe la fonction idéale.

Composé de quinze vieillards, citoyens d'Athènes, le chœur *d'Œdipe Roi* intervient à une dizaine de reprises, sous des formes différentes : collectivement ou par la voix du coryphée*, par des monologues lyriques, ou en dialoguant avec les personnages.

Nous étudierons le *stasimon** p. 75-76 sous la forme d'une lecture méthodique, c'est-à-dire selon quelques axes privilégiés qui mettront en lumière l'évolution du rôle du chœur dans la pièce, tout en montrant comment la forme de sa déclamation s'inscrit en contrepoint du dialogue des personnages.

Introduction

À l'image de la cité, dont il est à la fois l'émanation et l'incarnation, le chœur éprouve vis-à-vis d'Œdipe des sentiments mêlés. Effrayé de sa querelle avec Tirésias puis Créon, qui ajoute au fléau de la peste celui des dissensions internes, il l'a, un peu plus haut, exhorté à la réconciliation (p. 66), tout en lui réaffirmant sa confiance et sa reconnaissance (p. 68). Mais à la suite des aveux de Jocaste, il semble prendre ici ses distances, et éprouve le besoin de rappeler certaines vérités que le héros (et d'autres avec lui peut-être) aurait un peu trop tendance à oublier.

Développement : les axes de lecture

1 – Un monologue lyrique

Que faut-il entendre par lyrisme ? L'utilisation du mot se justifie ici d'abord par le fait que les propos du chœur étaient chantés. Mais on appelle aussi lyrisme, plus largement, l'expression exaltée des sentiments dans un style qui fait la part belle aux images et aux rythmes suggestifs.

a – Une « autre » parole :

Il faut commencer par rappeler que notre connaissance des conditions de la représentation théâtrale au ve siècle reste très lacunaire. Cela vaut en particulier pour l'élocution et les gestes des acteurs, ainsi que pour les chants, la musique et les danses qui les accompagnaient. Toutefois, on distingue généralement trois grands types de diction dans la tragédie grecque : parlé, psalmodié*, et chanté. Les dialogues étaient parlés, les parties du chœur tantôt psalmodiées, tantôt chantées. La plupart du temps, le chœur, cantonné dans l'*orchestra** (Ouvertures), s'exprimait à l'unisson, et le « je » dont il use ici a un sens collectif.

Mais outre le mode de déclamation, les **dialogues** et les **passages lyriques** se différenciaient également par la langue (l'ionien-attique – la langue parlée à Athènes – pour les premiers, le dorien littéraire pour les seconds), ainsi que par le rythme des vers (n'oublions pas que toute la tragédie était versifiée), plus « naturel » pour les dialogues, plus varié et solennel pour les morceaux chantés. On mesure les difficultés de traduction, ou pour mieux dire d'adaptation !

b – Figuration du chant lyrique :

Face à ces obstacles, la solution a consisté ici, dans ce passage comme dans les autres, à adopter une disposition typographique particulière. Il s'agit d'abord, par l'utilisation de l'italique (ce n'est pas un choix commun à toutes les éditions), de distinguer nettement les interventions du chœur des dialogues des protagonistes, et peut-être d'en accentuer l'expressivité.

Par ailleurs, nous sommes proches, visuellement, de la poésie : le fait d'aller fréquemment à la ligne à la fin – voire à l'intérieur – d'une phrase fait naturellement songer à des vers (libres), et de fait nous contraint, pour peu que nous lisions à voix haute, à une respiration, un rythme particuliers. Ces procédés, inévitablement approximatifs, permettent tout de même, par analogie, de marquer la différence de nature entre les deux registres : celui du chœur et celui des acteurs, qui sont aussi, ne l'oublions pas, celui de la cité et celui des héros.

c – Les marques du lyrisme :

Le style, enfin, s'efforce de traduire le lyrisme du passage. Ainsi, les marques d'expressivité abondent : discours à la première personne, modalités exclamative et interrogative, interjections, apostrophes, expression de souhaits ou de regrets, etc. À cela s'ajoutent les nombreuses images, qui, en regard du prosaïsme et du « naturel » des dialogues, donnent le sentiment d'avoir affaire à un langage figuré, poétique peut-être, en tout cas résolument « autre » que le langage usuel et courant.

2 – Le jeu des antithèses

Si son expression est souvent imagée, le sens de l'intervention du chœur est on ne peut plus clair. Œdipe vient successivement d'accuser gravement et sans preuves Créon, puis d'entendre les confidences accablantes de Jocaste. Sa superbe est atteinte, le doute le saisit : le voici brutalement retombé sur terre. Il est grand temps de condamner sa démesure et de lui rappeler, par une série d'antithèses* révélatrices, que les dieux restent tout-puissants.

a – Une opposition spatio-temporelle :

On ne s'étonnera pas que la métaphore spatiale utilisée pour distinguer le monde des dieux de celui des hommes soit celle de la verticalité, du **haut** et du **bas**. Aux « hauteurs », au « céleste éther », à « l'Olympe », au « faîte » divins, répond donc le « précipice fatal » humain. Ce dernier terme ne désigne d'ailleurs pas seulement un lieu profond, le négatif exact de la hauteur et du surplomb : il renvoie surtout à l'idée de **chute**. Autrement dit, l'homme tombe d'autant plus bas qu'il a prétendu s'élever haut.

Mais à l'antithèse spatiale s'ajoute l'antithèse temporelle : il y a le temps des dieux et il y a le temps des hommes. D'un côté, l'éternité (« jamais l'oubli ne les endormira »), de l'autre l'instantanéité (« lorsque la démesure s'est gavée follement, sans souci de l'heure ni de son intérêt »). Ou, si l'on préfère, le « toujours » opposé au « soudain ». Et comme le dira le chœur à Œdipe un peu plus loin :

Le temps, qui voit tout, malgré toi l'a découvert. (p. 107)

b – Une opposition religieuse, morale et politique :

La réaffirmation du partage radical entre sphère divine et sphère humaine induit toute une série d'oppositions de comportements et de valeurs. La « pureté » contre le « sacrilège », la « crainte de la Justice » et le « respect des temples divins » contre les « profits criminels », mais aussi « la démesure [qui] enfante le tyran » contre « le salut de la cité »... La leçon n'est donc pas seulement religieuse, ni même morale : elle est aussi politique. Ou plus exactement, elle s'efforce d'associer les trois. En somme, le chœur réclame un retour à ce que la tyrannie d'Œdipe (et sans doute, au-delà, la démocratie de Périclès) avait prétendu évacuer : la prise en considération de la volonté céleste dans l'exercice du pouvoir terrestre (Bilans).

c – La cité et le tyran :

On voit se dessiner ici la troisième antithèse : celle qui sépare le « je » du chœur du « il » de « **celui qui** va son chemin, étalant son orgueil et ses mots... », incapables de se concilier en un « nous » communautaire, comme si cette fois la rupture était désormais consommée entre le tyran et sa cité, au moment où celle-ci découvre (mais ne s'en était-elle pas au fond toujours douté ? Ne l'avait-elle pas « oublié », non sans quelque mauvaise foi, dans son propre intérêt ?) que le fol orgueil de son sauveur les entraîne, elle et lui, à leur perte.

3 – À qui s'adresse le chœur ?

On le sait, le bon fonctionnement de la parole théâtrale repose sur une convention, qui est celle de la double énonciation : le personnage, par la bouche de l'acteur, s'adresse toujours à la fois à un autre personnage (ou à lui-même) et aux spectateurs. C'est même quelquefois d'une triple énonciation qu'il s'agit, lorsque les dieux entrent dans la partie !

a – Une invocation faite aux dieux :

Dans la tragédie sophocléenne, on ne peut nier que les enjeux politiques et psychologiques aient pris le pas sur la dimension proprement religieuse. Cela ne signifie pas, loin de là, que celle-ci ait disparu : mais si elle s'est maintenue comme **thème**, en revanche le caractère pour ainsi dire liturgique de la représentation théâtrale a régressé au profit d'un relatif réalisme. S'il est un lieu pourtant où il persiste, c'est dans les interventions du chœur.

Ainsi, dans ce passage, ce dernier s'adresse directement aux dieux, et particulièrement à Zeus, à la fois pour le prendre à témoin, l'honorer, le prier et peut-être aussi obtenir son pardon. D'où cette **solennité** notée précédemment : on ne s'adresse pas aux dieux comme aux hommes.

b – Un réquisitoire contre Œdipe :

Le deuxième – et on serait tenté de dire le principal – destinataire des paroles du chœur est évidemment Œdipe. Pourtant, les appellations évasives et ambiguës (« Celui qui », « celui-là », « il », « on », etc.) laissent planer le doute sur l'identité de l'orgueilleux en question. Il est naturellement possible de voir dans le caractère implicite de ces mises en cause les traces d'une fidélité qui ne veut pas renoncer, comme si l'on voulait laisser encore une chance à Œdipe. Peut-être le chœur fait-il également preuve, non sans raisons si l'on en juge par la violence récente du roi, d'une certaine circonspection, en ne nommant pas directement celui qu'il accuse.

c – Un message adressé aux Athéniens :
Mais cette ambiguïté et cette généralisation ne doivent pas seulement être interprétées comme des marques de respect ou de prudence à l'égard d'un souverain tout-puissant. Il faut aussi les prendre au pied de la lettre : au-delà d'Œdipe, c'est sans doute le public lui-même qui est visé par ce discours. Des expressions de dépit comme « Si ce sont de pareilles mœurs que l'on honore désormais… » ou encore « Le respect des dieux s'en va » constituent autant d'allusions transparentes au triomphe du *logos**, de la rationalité humaine, qui caractérise ce Ve siècle athénien, avec lequel Sophocle semble bien ici prendre ses distances (Bilans).

Conclusion

Situé au centre de la pièce, ce passage en constitue l'un des temps forts : pour la première fois le chœur, et à travers lui la cité qu'il représente, amorce un mouvement de retrait par rapport à Œdipe. « La démesure enfante le tyran » : la formule est sans ambiguïté; le sauveur semble bien s'être métamorphosé en oppresseur. Pourtant, il serait très excessif de parler de rupture, et jamais on ne verra le roi réellement rejeté. C'est sans doute que le souvenir de la victoire sur la Sphinx reste vivace, et la dette de la ville infinie. Mais c'est aussi que la démesure d'Œdipe, si elle effraie la cité, la séduit aussi. N'oublions pas que l'Athènes de Sophocle fut elle-même saisie d'*hùbris**, fascinée par sa propre grandeur et grisée par ses conquêtes, avant que la défaite et le chaos interne ne la fassent brutalement et douloureusement retomber sur terre.

à vous...

1 – Le dialogue entre Créon et Tirésias (p. 80-81) vous en évoque sans doute un autre. Lequel ? Quels sont leurs points communs ?

2 – Comparez précisément le Créon de cette scène avec celui de notre pièce. Par quels traits de caractère et de comportement diffèrent-ils ? À quel personnage d'*Œdipe Roi* le Créon d'*Antigone* ressemble-t-il plutôt ? En quoi ?

3 – Relisez les interventions du chœur aux pages 46-47, et 66-68 ; et confrontez-les à celle que vous venez d'étudier.

4 – Le chœur donne ici à Œdipe et aux spectateurs une véritable leçon. Relevez quelques procédés rhétoriques* par lesquels celle-ci est administrée.

5 – « Celui-là, je le voue à un sort douloureux... » : cette formule ne vous en rappelle-t-elle pas une autre, au début de la pièce ? Qui l'avait utilisée alors ? Qu'en concluez-vous ?

TROISIÈME ÉPISODE

(Jocaste sort du palais avec des servantes portant des fleurs et des vases à parfum.)

JOCASTE. – Chefs de ce pays, l'idée m'est venue d'aller dans les temples des dieux leur porter de mes mains ces guirlandes, ces parfums. Œdipe laisse ses chagrins ébranler un peu trop son cœur. Il ne sait pas juger avec sang-froid du présent par le passé. Il appartient à qui lui parle, lorsqu'on lui parle de malheur. Puis donc que mes conseils n'obtiennent rien de lui, c'est vers toi que je me tourne, ô dieu lycien, Apollon, notre voisin. Je viens à toi en suppliante, porteuse de nos vœux. Fournis-nous un remède contre toute souillure. Nous nous inquiétons, à voir Œdipe en désarroi, alors qu'il tient dans ses mains la barre de notre vaisseau.

(Un Vieillard arrive par la gauche.)

LE CORINTHIEN. – Étrangers, pourrais-je savoir où donc est le palais d'Œdipe, votre roi ? Ou, mieux encore, si vous savez où lui-même se trouve, dites-le-moi.

LE CORYPHÉE. – Voici sa demeure, et tu l'y trouveras en personne, étranger. La femme que tu vois là est la mère de ses enfants.

LE CORINTHIEN. – Qu'elle soit heureuse à jamais au milieu d'enfants heureux, puisqu'elle est pour Œdipe une épouse accomplie !

JOCASTE. – Qu'il en soit de même pour toi, étranger : ta courtoisie vaut bien cela. Mais explique-moi ce pour quoi tu viens, ce dont tu dois nous informer.

LE CORINTHIEN. – C'est un bonheur, pour ta maison, ô femme, comme pour ton époux.

JOCASTE. – Que dis-tu ? Et d'abord de chez qui nous viens-tu ?

LE CORINTHIEN. – J'arrive de Corinthe. La nouvelle que je t'apporte va sans doute te ravir – le contraire serait impossible – mais peut-être aussi t'affliger.

JOCASTE. – Qu'est-ce donc ? et comment a-t-elle ce double pouvoir ?

LE CORINTHIEN. – Les gens du pays, disait-on là-bas, institueraient Œdipe roi de l'Isthme.

JOCASTE. – Quoi ! et le vieux Polybe ? n'est-il plus sur le trône ?

LE CORINTHIEN. – Non, la mort le tient au tombeau.

JOCASTE. – Que dis-tu là ? Polybe serait mort ?

LE CORINTHIEN. – Que je meure moi-même, si je ne dis pas vrai !

JOCASTE. – Esclave, rentre vite porter la nouvelle au maître. Ah ! oracles divins, où êtes-vous donc à cette heure ? Ainsi voilà un homme qu'Œdipe fuyait depuis des années, dans la terreur qu'il avait de le tuer, et cet homme aujourd'hui meurt frappé par le sort, et non pas par Œdipe !

(Œdipe sort du palais.)

ŒDIPE. – Ô très chère femme, Jocaste que j'aime, pourquoi m'as-tu fait chercher dans le palais ?

JOCASTE. – Écoute l'homme qui est là, et vois en l'écoutant ce que sont devenus ces oracles augustes d'un dieu.

ŒDIPE. – Cet homme, qui est-il ? et qu'a-t-il à me dire ?

JOCASTE. – Il vient de Corinthe et te fait savoir que Polybe n'est plus : la mort a frappé ton père.

ŒDIPE. – Que dis-tu, étranger ? Explique-toi toi-même.

LE CORINTHIEN. – S'il me faut tout d'abord te rendre un compte exact, sache bien qu'en effet Polybe a disparu.

ŒDIPE. – Victime d'un complot ou d'une maladie ?

LE CORINTHIEN. – Le moindre heurt suffit pour mettre un vieux par terre.

ŒDIPE. – Le malheureux, si je t'en crois, serait donc mort de maladie ?

LE CORINTHIEN. – Et des longues années aussi qu'il a vécues.

ŒDIPE. – Ah ! femme, qui pourrait désormais recourir à Pythô, au foyer prophétique ? ou bien à ces oiseaux criaillant sur nos têtes ? D'après eux, je devais assassiner mon père : et voici mon père mort, enseveli dans le fond d'un tombeau, avant que ma main ait touché aucun fer !... à moins qu'il ne soit mort du regret de ne plus me voir ? ce n'est qu'en ce sens qu'il serait mort par moi. – Le fait certain, c'est qu'à cette heure Polybe est dans les Enfers avec tout ce bagage d'oracles sans valeur.

JOCASTE. – N'était-ce donc pas là ce que je te disais depuis bien longtemps ?

ŒDIPE. – Assurément, mais la peur m'égarait.

JOCASTE. – Alors ne te mets plus rien en tête pour eux.

ŒDIPE. – Et comment ne pas craindre la couche de ma mère ?

JOCASTE. – Et qu'aurait donc à craindre un mortel, jouet du destin, qui ne peut rien prévoir de sûr ? Vivre au hasard, comme on le peut, c'est de beaucoup le mieux encore. Ne redoute pas l'hymen d'une mère : bien des mortels ont déjà dans leurs rêves partagé le lit maternel. Celui qui attache le moins d'importance à pareilles choses est aussi celui qui supporte le plus aisément la vie.

ŒDIPE. – Tout cela serait fort bon, si ma mère n'était vivante. Mais tant qu'elle vit, tu auras beau parler, et bien parler, fatalement, moi, je dois craindre.

JOCASTE. – C'est un immense allégement pourtant que de savoir ton père dans la tombe.

ŒDIPE. – Immense, je le sens. Mais la vivante ne m'en fait pas moins peur.

LE CORINTHIEN. – Mais quelle est donc, dis-moi, la femme qui vous cause une telle épouvante ?

ŒDIPE. – C'est Mérope, vieillard, l'épouse de Polybe.

LE CORINTHIEN. – Et d'où provient la peur qu'elle t'inspire ?

ŒDIPE. – D'un oracle des dieux effroyable, étranger.

LE CORINTHIEN. – Peux-tu le dire ? ou bien doit-il rester secret ?

ŒDIPE. – Nullement. Loxias m'a déclaré jadis que je devais entrer dans le lit de ma mère et verser de mes mains le sang de mon père. C'est pourquoi depuis longtemps je m'étais fixé bien loin de Corinthe – pour mon bonheur, sans doute, bien qu'il soit doux de voir les yeux de ses parents.

LE CORINTHIEN. – Et c'est cette crainte seule qui te tenait loin de ta ville ?

ŒDIPE. – Je ne voulais pas être parricide, vieillard.

LE CORINTHIEN. – Pourquoi ai-je donc tardé à t'en délivrer plus tôt, roi, puisque aussi bien j'arrive ici tout disposé à t'être utile ?

ŒDIPE. – Ma foi ! tu en auras le prix que tu mérites.

LE CORINTHIEN. – Ma foi ! c'est justement pourquoi je suis venu, pour que ton retour au pays me procure quelque avantage.

ŒDIPE. – Non, ne compte pas que jamais je rejoigne mes parents.

LE CORINTHIEN. – Ah ! comme on voit, mon fils, que tu ne sais pas quelle est ton erreur !

ŒDIPE. – Que dis-tu, vieillard ? Au nom des dieux, éclaire-moi.

LE CORINTHIEN. – Si ce sont là tes raisons pour renoncer à ton retour…

ŒDIPE. – J'ai bien trop peur que Phœbos ne se révèle véridique.

LE CORINTHIEN. – Tu crains une souillure auprès de tes parents ?

ŒDIPE. – C'est bien là, vieillard, ce qui m'obsède.

LE CORINTHIEN. – Alors tu ne sais pas que tu crains sans raison.

ŒDIPE. – Comment est-ce possible, si je suis bien né d'eux ?

LE CORINTHIEN. – Sache donc que Polybe ne t'est rien par le sang.

ŒDIPE. – Quoi ! Ce n'est pas Polybe qui m'aurait engendré ?

LE CORINTHIEN. – Polybe ne t'a pas engendré plus que moi.

ŒDIPE. – Quel rapport entre un père et toi qui ne m'es rien ?

LE CORINTHIEN. – Pas plus lui que moi-même jamais ne fut ton père.

ŒDIPE. – Et pourquoi donc alors me nommait-il son fils ?

LE CORINTHIEN. – C'est qu'il t'avait reçu comme un don de mes mains.

ŒDIPE. – Et pour l'enfant d'un autre il eut cette tendresse ?

LE CORINTHIEN. – Les enfants lui avaient manqué un si long temps.

ŒDIPE. – Tu m'avais acheté, ou rencontré, toi-même ?

LE CORINTHIEN. – Oui, trouvé dans un val du Cithéron boisé.

ŒDIPE. – Pourquoi voyageais-tu dans cette région ?

LE CORINTHIEN. – Je gardais là des troupeaux transhumants.

ŒDIPE. – Ah ! tu étais berger nomade, mercenaire...

LE CORINTHIEN. – Mais qui sauva ta vie, mon fils, en ce temps-là !

ŒDIPE. – Quel était donc mon mal, quand tu m'as recueilli en pareille détresse ?

LE CORINTHIEN. – Tes pieds pourraient sans doute en témoigner encore.

ŒDIPE. – Ah ! pourquoi rappeler mon ancienne misère ?

LE CORINTHIEN. – C'est moi qui dégageai tes deux pieds transpercés.

ŒDIPE. – Dieux ! quelle étrange honte autour de mon berceau !

LE CORINTHIEN. – Tu lui as dû un nom tiré de l'aventure.

ŒDIPE. – Mais cela, qui l'avait voulu ? mon père ? ma mère ? par les dieux, dis-le.

LE CORINTHIEN. – Je ne sais ; mais celui qui te mit en mes mains sait cela mieux que moi.

ŒDIPE. – Ce n'est donc pas toi qui m'avais trouvé ? Tu me tenais d'un autre ?

LE CORINTHIEN. – Oui, un autre berger t'avait remis à moi.

ŒDIPE. – Qui est-ce? le peux-tu désigner clairement?

LE CORINTHIEN. – Il était sans nul doute des gens de Laïos.

ŒDIPE. – Du prince qui régnait sur ce pays jadis?

LE CORINTHIEN. – Parfaitement, c'était un berger de ce roi.

ŒDIPE. – Est-il vivant encore, que je puisse le voir?

LE CORINTHIEN. – C'est vous, gens du pays, qui le sauriez le mieux.

ŒDIPE, *au Chœur* : Parmi ceux qui sont là est-il quelqu'un qui sache quel est le berger dont parle cet homme, s'il habite aux champs, si on l'a vu ici? Parlez donc franchement : le moment est venu de découvrir enfin le mot de cette affaire.

LE CORYPHÉE. – Je crois bien qu'il n'est autre que le berger fixé à la campagne que tu désirais voir. Mais Jocaste est là : personne ne pourrait nous renseigner mieux qu'elle.

ŒDIPE. – Tu sais, femme : l'homme que tout à l'heure nous désirions voir et celui dont il parle…

JOCASTE. – Et n'importe de qui il parle! N'en aie nul souci. De tout ce qu'on t'a dit, va, ne conserve même aucun souvenir. À quoi bon!

ŒDIPE. – Impossible. J'ai déjà saisi trop d'indices pour renoncer désormais à éclaircir mon origine.

JOCASTE. – Non, par les dieux ! Si tu tiens à la vie, non, n'y songe plus. C'est assez que je souffre, moi.

ŒDIPE. – Ne crains donc rien. Va, quand je me révélerais et fils et petit-fils d'esclaves, tu ne serais pas, toi, une vilaine pour cela.

JOCASTE. – Arrête-toi pourtant, crois-moi, je t'en conjure.

ŒDIPE. – Je ne te croirai pas, je veux savoir le vrai.

JOCASTE. – Je sais ce que je dis. Va, mon avis est bon.

ŒDIPE. – Eh bien ! tes bons avis m'exaspèrent à la fin.

JOCASTE. – Ah ! puisses-tu jamais n'apprendre qui tu es !

ŒDIPE. – N'ira-t-on pas enfin me chercher ce bouvier ? Laissons-la se vanter de son riche lignage.

JOCASTE. – Malheureux ! malheureux ! oui, c'est là le seul nom dont je peux t'appeler. Tu n'en auras jamais un autre de ma bouche.

(Elle rentre, éperdue, dans le palais.)

LE CORYPHÉE. – Pourquoi sort-elle ainsi, Œdipe ? On dirait qu'elle a sursauté sous une douleur atroce. Je crains qu'après un tel silence n'éclate quelque grand malheur.

ŒDIPE. – Eh ! qu'éclatent donc tous les malheurs qui voudront ! Mais mon origine, si humble soit-elle, j'entends, moi, la saisir. Dans son orgueil de femme, elle rougit sans doute de mon obscurité : je me tiens, moi, pour fils de la Fortune[1], Fortune la Généreuse, et n'en éprouve point de honte. C'est Fortune qui fut ma mère, et les années qui ont accompagné ma vie m'ont fait tour à tour et petit et grand. Voilà mon origine, rien ne peut la changer : pourquoi renoncerais-je à savoir de qui je suis né ?

(Le Chœur entoure Œdipe et cherche à le distraire de son angoisse.)

TROISIÈME STASIMON : chant du chœur

Soutenu.

LE CHŒUR – *Si je suis bon prophète, si mes lumières me révèlent le vrai, oui, par l'Olympe, je le jure, dès demain, à la pleine lune, tu t'entendras glorifier comme étant, ô Cithéron, le compatriote d'Œdipe,*
son nourricier, son père ; et nos chœurs te célèbreront pour les faveurs que tu fis à nos rois. Et puisses-tu aussi Phœbos, toi qu'on invoque avec des cris aigus, avoir ces chants pour agréables !
Qui donc, enfant, qui donc t'a mis au monde ? Parmi les Nymphes aux longs jours, quelle est donc celle qui aima et qui rendit père Pan[2], le dieu qui court par les monts ? Ou bien serait-ce une amante de Loxias ? Il se plaît à hanter tous les plateaux sauvages.

1. Fortune : déesse du hasard, du sort – bons ou mauvais.
2. Pan : dieu de la fécondité.

Ou bien s'agirait-il du maître du Cyllène[1] *? Ou du divin Bacchos l'habitant des hauts sommets, qui t'aurait reçu comme fils des mains d'une des Nymphes avec qui si souvent il s'ébat sur l'Hélicon*[2] *?*

QUATRIÈME ÉPISODE

(Par la gauche entrent deux esclaves conduisant un vieux berger.)

ŒDIPE. – Pour autant que je puisse ici le supposer, sans l'avoir rencontré encore, ce berger, vieillards, m'a l'air d'être celui que j'attends depuis un moment. Son grand âge s'accorde à celui de cet homme. D'ailleurs, dans ceux qui le conduisent, je reconnais des gens à moi. Mais ton savoir l'emporte sur le mien sans doute, puisque tu l'as vu toi-même jadis.

LE CORYPHÉE. – Oui, sache-le bien, je le reconnais. Il était chez Laïos tenu pour un berger fidèle entre tous.

ŒDIPE. – C'est à toi d'abord que je m'adresse, à toi, le Corinthien. Est-ce là l'homme dont tu parles ?

LE CORINTHIEN. – C'est celui-là même ; tu l'as devant toi.

ŒDIPE. – Çà, vieillard, à ton tour ! Approche et, les yeux dans mes yeux, réponds à mes demandes. Tu étais bien à Laïos ?

1. Cyllène : montagne d'Arcadie.
2. Hélicon : montagne de Béotie.

LE SERVITEUR. – Oui, esclave non acheté, mais né au palais du roi.

ŒDIPE. – Attaché à quelle besogne ? Menant quelle sorte de vie ?

LE SERVITEUR. – Je faisais paîtrc les troupeaux la plus grande partie du temps.

ŒDIPE. – Et dans quelles régions séjournais-tu de préférence ?

LE SERVITEUR. – Dans la région du Cithéron, ou dans les régions voisines.

ŒDIPE. – Et là, te souviens-tu d'avoir connu cet homme ?

LE SERVITEUR. – Mais qu'y faisait-il ? de qui parles-tu ?

ŒDIPE. – De celui qui est là. L'as-tu pas rencontré ?

LE SERVITEUR. – Pas assez pour que ma mémoire me laisse répondre si vite.

LE CORINTHIEN. – Rien d'étonnant à cela, maître. Mais je vais nettement, puisqu'il ne me reconnaît pas, réveiller, moi, ses souvenirs. Je suis bien sûr qu'il se souvient du temps où, sur le Cithéron, lui avec deux troupeaux, et moi avec un, nous avons tous les deux vécu côte à côte, à trois reprises, pendant six mois, du début du printemps au lever de l'Arcture[1].

1. Lever de l'Arcture : Arcturus est l'autre nom de l'étoile du Bouvier, située dans le prolongement de la queue de la Grande Ourse. Le « lever de l'Arcture » désigne l'équinoxe d'automne (23 septembre).

L'hiver venu, nous ramenions nos bêtes, moi dans ma bergerie, lui aux étables de son maître. Oui ou non, dis-je vrai ?

LE SERVITEUR. – Vrai. Mais il s'agit là de choses bien anciennes.

LE CORINTHIEN. – Et maintenant, dis-moi. En ce temps-là, te souviens-tu de m'avoir remis un enfant, afin que je l'élève comme s'il était mien ?

LE SERVITEUR. – Que dis-tu ? Où veux-tu en venir ?

LE CORINTHIEN. – Le voilà, mon ami, cet enfant d'autrefois !

LE SERVITEUR, *levant son bâton.* – Malheur à toi ! veux-tu te taire !

ŒDIPE. – Eh là, vieux, pas de coups ! Ce sont bien tes propos qui méritent des coups, beaucoup plus que les siens.

LE SERVITEUR. – Mais quelle est donc ma faute, ô le meilleur des maîtres ?

ŒDIPE. – Tu ne nous as rien dit de l'enfant dont il parle.

LE SERVITEUR. – Il parle sans savoir, il s'agite pour rien.

ŒDIPE. – Si tu ne veux pas parler de bon gré, tu parleras de force et il t'en cuira.

LE SERVITEUR. – Ah ! je t'en supplie, par les dieux, ne maltraite pas un vieillard.

ŒDIPE. – Vite, qu'on lui attache les mains dans le dos !

LE SERVITEUR. – Hélas ! pourquoi donc ? que veux-tu savoir ?

ŒDIPE. – C'est toi qui lui remis l'enfant dont il nous parle ?

LE SERVITEUR. – C'est moi. J'aurais bien dû mourir le même jour.

ŒDIPE. – Refuse de parler, et c'est ce qui t'attend.

LE SERVITEUR. – Si je parle, ma mort est bien plus sûre encore.

ŒDIPE. – Cet homme m'a tout l'air de chercher des délais.

LE SERVITEUR. – Non, je l'ai dit déjà : c'est moi qui le remis.

ŒDIPE. – De qui le tenais-tu ? De toi-même ou d'un autre ?

LE SERVITEUR. – Il n'était pas à moi. Je le tenais d'un autre.

ŒDIPE. – De qui ? de quel foyer de Thèbes sortait-il ?

LE SERVITEUR. – Non, maître, au nom des dieux, n'en demande pas plus.

ŒDIPE. – Tu es mort, si je dois répéter ma demande.

LE SERVITEUR. – Il était né chez Laïos.

ŒDIPE. – Esclave ?... Ou parent du roi ?

LE SERVITEUR. – Hélas ! j'en suis au plus cruel à dire.

ŒDIPE. – Et pour moi à entendre. Pourtant je l'entendrai.

LE SERVITEUR. – Il passait pour son fils... Mais ta femme, au palais, peut bien mieux que personne te dire ce qui est.

ŒDIPE. – C'est elle qui te l'avait remis ?

LE SERVITEUR. – C'est elle, seigneur.

ŒDIPE. – Dans quelle intention ?

LE SERVITEUR. – Pour que je le tue.

ŒDIPE. – Une mère ! La pauvre femme !

LE SERVITEUR. – Elle avait peur d'un oracle des dieux.

ŒDIPE. – Qu'annonçait-il ?

LE SERVITEUR. – Qu'un jour, prétendait-on, il tuerait ses parents.

ŒDIPE. – Mais pourquoi l'avoir, toi, remis à ce vieillard ?

LE SERVITEUR. – J'eus pitié de lui, maître. Je crus, moi, qu'il l'emporterait au pays d'où il arrivait. Il t'a sauvé la vie, mais pour les pires maux ! Si tu es vraiment celui dont il parle, sache que tu es né marqué par le malheur.

ŒDIPE. – Hélas, hélas ! ainsi tout à la fin serait vrai ! Ah ! lumière du jour, que je te voie ici pour la dernière fois, puisque aujourd'hui, je me révèle le fils de qui je ne devais pas naître, l'époux de qui je ne devais pas l'être, le meurtrier de qui je ne devais pas tuer !

(Il se rue dans le palais.)

QUATRIÈME STASIMON : chant du chœur

Modéré.

LE CHŒUR. – *Pauvres générations humaines, je ne vois en vous qu'un néant !*
Quel est, quel est donc l'homme qui obtient plus de bonheur qu'il en faut pour paraître heureux, puis, cette apparence donnée, disparaître de l'horizon ?
Ayant ton sort pour exemple, ton sort à toi, ô malheureux Œdipe, je ne puis plus juger heureux qui que ce soit parmi les hommes.

Il avait visé au plus haut. Il s'était rendu maître d'une fortune et d'un bonheur complets.
Il avait détruit, ô Zeus, la devineresse aux serres aiguës[1]*. Il s'était dressé devant notre ville comme un rempart contre la mort.*
Et c'est ainsi, Œdipe, que tu avais été proclamé notre roi, que tu avais reçu les honneurs les plus hauts, que tu régnais sur la puissante Thèbes.

1. Devineresse aux serres aiguës : la Sphinx.

Plus vif.

Et maintenant qui pourrait être dit plus malheureux que toi ? Qui a subi désastres, misères plus atroces, dans un pareil revirement ?
Ah ! noble et cher Œdipe ! Ainsi la chambre nuptiale a vu le fils après le père entrer au même port terrible !
Comment, comment le champ labouré par ton père a-t-il pu si longtemps, sans révolte, te supporter, ô malheureux ?

Le temps, qui voit tout, malgré toi l'a découvert. Il condamne l'hymen, qui n'a rien d'un hymen, d'où naissaient à la fois et depuis tant de jours un père et des enfants.
Ah ! fils de Laïos ! que j'aurais donc voulu ne jamais, ne jamais te connaître ! Je me désole, et des cris éperdus s'échappent de ma bouche. Il faut dire la vérité : par toi jadis j'ai recouvré la vie, et par toi aujourd'hui je ferme à jamais les yeux !

CINQUIÈME ÉPISODE ET EXODOS : sortie du chœur

(Un esclave sort du palais.)

LE MESSAGER. – Ô vous que ce pays a de tout temps entre tous honorés, qu'allez-vous donc ouïr et qu'allez-vous voir ? Quel chant de deuil devrez-vous faire entendre si, fidèles à votre sang, vous vous intéressez encore à la maison des Labdacides ? Ni l'Ister ni le Phase[1] ne seraient capables, je

1. L'Ister et le Phase sont deux fleuves. Le premier est aujourd'hui le Danube, le second le Rion.

crois, de laver les souillures que cache ce palais, et dont il va bientôt révéler une part – souillures voulues, non involontaires ; mais, parmi les malheurs, les plus affligeants ne sont-ils pas ceux justement qui sont nés d'un libre choix ?

LE CORYPHÉE. – Ce que nous savions nous donnait déjà matière à gémir : qu'y viens-tu ajouter encore ?

LE MESSAGER. – Un mot suffit, aussi court à dire qu'à entendre : notre noble Jocaste est morte.

LE CORYPHÉE. – La malheureuse ! Et qui causa sa mort ?

LE MESSAGER. – Elle-même. Mais le plus douloureux de tout cela t'échappe : le spectacle du moins t'en aura été épargné. Malgré tout, dans la mesure où le permettra ma mémoire, tu vas savoir ce qu'a souffert l'infortunée. À peine a-t-elle franchi le vestibule que, furieuse, elle court vers le lit nuptial, en s'arrachant à deux mains les cheveux. Elle entre et violemment ferme la porte derrière elle. Elle appelle alors Laïos, déjà mort depuis tant d'années ; elle évoque « les enfants que jadis il lui donna et par qui il périt lui-même, pour laisser la mère à son tour donner à ses propres fils une sinistre descendance ». Elle gémit sur la couche « où, misérable, elle enfanta un époux de son époux et des enfants de ses enfants » ! Comment elle périt ensuite, je l'ignore, car à ce moment Œdipe, hurlant, tombe au milieu de nous, nous empêchant d'assister à sa fin : nous ne pouvons plus regarder que lui. Il fait le tour de notre groupe ; il va, il vient, nous suppliant de lui fournir une arme, nous demandant où il pourra trouver « l'épouse qui n'est pas son épouse, mais qui fut un champ maternel à la fois pour lui et pour ses enfants». Sur quoi un dieu sans doute dirige sa fureur, car ce n'est certes aucun de ceux qui l'entouraient avec moi. Subitement, il poussa un cri terrible et, comme mené par un guide, le voilà qui se précipite sur les deux vantaux de la porte, fait fléchir le verrou qui saute de la gâche, se rue enfin au milieu de la pièce... La femme est pendue ! Elle est là, devant nous, étranglée par le nœud qui se balance au toit... Le malheureux à ce spectacle pousse un gémissement affreux. Il détache la corde qui pend, et le pauvre corps tombe à terre... C'est un spectacle alors atroce à voir. Arrachant les agrafes d'or qui servaient à draper ses vêtements sur elle, il les lève en l'air et il se met à en frapper ses deux yeux dans leurs orbites. «Ainsi ne verront-ils plus, dit-il, ni le mal que j'ai subi, ni celui que j'ai causé ; ainsi les ténèbres leur défendront-elles de voir désormais ceux que je n'eusse pas dû voir[1], et de connaître ceux que, malgré tout, j'eusse voulu connaître[2] ! » Et tout en clamant ces mots, sans répit, les bras levés, il se frappait les yeux, et leurs globes en sang coulaient sur sa barbe. Ce n'était pas un suintement de gouttes rouges, mais une noire averse de grêle et de sang, inondant son visage ! Le désastre a éclaté, non par sa seule faute, mais par le fait de tous deux à la fois : c'est le commun désastre de la femme et de l'homme. Leur bonheur d'autrefois était hier encore un bonheur au sens vrai du mot : aujourd'hui, au contraire, sanglots, désastre, mort et ignominie, toute tristesse ayant un nom se rencontre ici désormais ; pas une qui manque à l'appel !

LE CORYPHÉE. – Et, à présent, le misérable jouit-il de quelque relâche à sa peine ?

1. Ceux que je n'eusse pas dû voir : ses enfants.
2. Ce que malgré tout j'eusse voulu connaître : ses parents.

LE MESSAGER. – Il demande à grands cris « qu'on ouvre les portes et qu'on fasse voir à tous les Cadméens celui qui tua son père et qui fit de sa mère… » – ses mots sont trop ignobles, je ne puis les redire. Il parle « en homme qui s'apprête à s'exiler lui-même du pays, qui ne peut plus y demeurer, puisqu'il se trouve sous le coup de sa propre imprécation ». Pourtant, il a besoin d'un appui étranger, il a besoin d'un guide. Le coup qui l'a frappé est trop lourd à porter. Tu vas en juger par toi-même. On pousse justement le verrou de sa porte. Tu vas contempler un spectacle qui apitoierait même un ennemi.

(Œdipe apparaît, la face sanglante, cherchant sa route à tâtons.)

Mélodrame.

LE CORYPHÉE. – Ô disgrâce effroyable à voir pour des mortels – oui, la plus effroyable que j'aie jamais croisée sur mon chemin ! Quelle démence, infortuné, s'est donc abattue sur toi ? Quel Immortel a fait sur ta triste fortune un bond plus puissant qu'on n'en fit jamais ?

Ah ! malheureux ! non, je ne puis te regarder en face. Et cependant je voudrais tant t'interroger, te questionner, t'examiner… Mais tu m'inspires trop d'effroi !

ŒDIPE. – Hélas ! hélas ! malheureux que je suis ! Où m'emportent mes pas, misérable ? où s'envole ma voix, en s'égarant dans l'air ? Ah ! mon destin, où as-tu été te précipiter ?

LE CORYPHÉE. – Dans un désastre, hélas ! effrayant à voir autant qu'à entendre.

Agité.

ŒDIPE. – *Ah ! nuage de ténèbres ! nuage abominable, qui t'étends sur moi, immense, irrésistible, écrasant !*
Ah ! comme je sens pénétrer en moi tout ensemble et l'aiguillon de mes blessures et le souvenir de mes maux.

LE CORYPHÉE. – Nul assurément ne sera surpris qu'au milieu de telles épreuves tu aies double deuil, double douleur à porter.

ŒDIPE. – *Ah ! mon ami, tu restes donc encore, toi seul, à mes côtés ? Tu consens donc encore à soigner un aveugle ?*
Ah ! ce n'est pas un leurre : du fond de mes ténèbres, très nettement, je reconnais ta voix.

LE CORYPHÉE. – Oh ! qu'as-tu fait ? Comment as-tu donc pu détruire tes prunelles ? Quel dieu poussa ton bras ?

ŒDIPE. – *Apollon, mes amis ! oui, c'est Apollon qui m'inflige à cette heure ces atroces, ces atroces disgrâces qui sont mon lot, mon lot désormais. Mais aucune autre main n'a frappé que la mienne, la mienne, malheureux !*
Que pouvais-je encore voir dont la vue pour moi eût quelque douceur ?

LE CHŒUR. – *Las ! il n'est que trop vrai !*

ŒDIPE. – *Oui, que pouvais-je voir qui me pût satisfaire ? Est-il un appel encore que je puisse entendre avec joie ?*
Ah ! emmenez-moi loin de ces lieux bien vite ! emmenez, mes amis, l'exécrable fléau, le maudit entre les maudits, l'homme qui parmi les hommes est le plus abhorré des dieux !

LE CORYPHÉE. – Ton âme te torture autant que ton malheur. Comme j'aurais voulu que tu n'eusses rien su !

ŒDIPE. – *Ah ! quel qu'il fût, maudit soit l'homme qui, sur l'herbe d'un pâturage, me prit par ma cruelle entrave, me sauva de la mort, me rendit à la vie ! Il ne fit rien là qui dût me servir.*
Si j'étais mort à ce moment, ni pour moi ni pour les miens je ne fusse devenu l'affreux chagrin que je suis aujourd'hui.

LE CHŒUR. – *Moi aussi, c'eût été mon vœu.*

ŒDIPE. – *Je n'eusse pas été l'assassin de mon père ni aux yeux de tous les mortels l'époux de celle à qui je dois le jour ;*
tandis qu'à cette heure, je suis un sacrilège, fils de parents impies, qui a lui-même des enfants de la mère dont il est né ! S'il existe un malheur au-delà du malheur, c'est là, c'est là, le lot d'Œdipe !

LE CORYPHÉE. – Je ne sais vraiment comment justifier ta résolution. Mieux valait pour toi ne plus vivre que vivre aveugle à jamais.

ŒDIPE. – Ah ! ne me dis pas que ce que j'ai fait n'était pas le mieux que je pusse faire ! Épargne-moi et leçons et conseils ! Et de quels yeux, descendu aux Enfers, eussé-je pu, si j'y voyais, regarder mon père et ma pauvre mère, alors que j'ai sur tous les deux commis des forfaits plus atroces que ceux pour lesquels on se pend ? Est-ce la vue de mes enfants qui aurait pu m'être agréable ? – des enfants nés comme ceux-ci sont nés ! Mes yeux, à moi, du moins ne les reverront pas, non plus que cette ville, ces murs, ces images sacrées de nos dieux, dont je me suis exclu moi-même, infortuné, moi, le plus glorieux des enfants de Thèbes, le jour où j'ai donné l'ordre formel à tous de repousser le sacrilège, celui que les dieux mêmes ont révélé impur, l'enfant de Laïos ! Et après avoir de la sorte dénoncé ma propre souillure, j'aurais pu les voir sans baisser les yeux ? Non, non ! Si même il m'était possible de barrer au flot des sons la route de mes oreilles, rien ne m'empêcherait alors de verrouiller mon pauvre corps, en le rendant aveugle et sourd tout à la fois. Il est si doux à l'âme de vivre hors de ses maux ! Ah ! Cithéron, pourquoi donc m'as-tu recueilli ? Que ne m'as-tu plutôt saisi et tué sur l'heure ! Je n'eusse pas ainsi dévoilé aux humains de qui j'étais sorti... Ô Polybe, ô Corinthe, et toi, palais antique, toi qu'on disait le palais de mon père, sous tous ces beaux dehors, quel chancre[1] malfaisant vous nourrissiez en moi ! J'apparais aujourd'hui ce que je suis en fait : un criminel, issu de criminels... Ô double chemin ! val caché ! bois de chênes ! ô étroit carrefour où se joignent deux routes ! vous qui avez bu le sang de mon père versé par mes mains, avez-vous oublié les crimes que j'ai consommés sous vos yeux, et ceux que j'ai plus tard commis ici encore ? Hymen, hymen à qui je dois le jour, qui, après m'avoir enfanté, as une fois de plus fait lever la même semence et qui, de la sorte, as montré au monde des pères, frères, enfants, tous de même sang ! des épousées à la fois femmes et mères – les pires hontes des mortels... Non, non ! Il est des choses qu'il n'est pas moins honteux d'évoquer que de faire. Vite, au nom des dieux, vite, cachez-moi quelque part, loin d'ici ; tuez-moi, jetez-

1. Chancre : abcès, ulcère.

moi à la mer ou en des lieux du moins où l'on ne me voie plus... Venez, daignez toucher un malheureux. Ah ! croyez-moi, n'ayez pas peur : mes maux à moi, il n'est point d'autre mortel qui soit fait pour les porter.

LE CORYPHÉE. – Mais, pour répondre à tes demandes, Créon arrive à propos. Il est désigné pour agir autant que pour te conseiller, puisqu'il reste seul à veiller à ta place sur notre pays.

(Entre Créon.)

ŒDIPE. – Las ! que dois-je lui dire ? Quelle confiance puis-je donc normalement lui inspirer ? Ne me suis-je pas naguère montré en tout cruel à son endroit ?

CRÉON. – Je ne viens point ici pour te railler, Œdipe ; moins encore pour te reprocher tes insultes de naguère. Mais vous autres, si vous n'avez plus de respect pour la race des humains, respectez tout au moins le feu qui nourrit ce monde ; rougissez d'exposer sans voile à ses rayons un être aussi souillé, que ne sauraient admettre ni la terre, ni l'eau sainte, ni la lumière du jour. Allez, renvoyez-le au plus vite chez lui. C'est aux parents seuls que la pitié laisse le soin de voir et d'écouter des parents en peine.

ŒDIPE. – Au nom des dieux, puisque tu m'as tiré de crainte, en venant, toi, ô le meilleur des hommes, vers le plus méchant des méchants, écoute-moi. Je veux te parler dans ton intérêt, et non dans le mien.

CRÉON. – Et quelle est la requête pour laquelle tu me presses ainsi ?

ŒDIPE. – Jette-moi hors de ce pays, et au plus tôt, dans des lieux où personne ne m'adresse plus la parole.

CRÉON. – Je l'eusse fait, sois-en bien sûr, si je n'avais voulu savoir d'abord du dieu où était mon devoir.

ŒDIPE. – Mais le dieu a déjà publié sa sentence : pour l'assassin, pour l'impie que je suis, c'est la mort.

CRÉON. – Ce sont bien ses paroles ; mais, dans la détresse où nous sommes, mieux vaut pourtant nous assurer de ce qui est notre devoir.

ŒDIPE. – Eh quoi ! pour un malheureux vous iriez consulter encore ?

CRÉON. – C'est justement pour que toi-même tu en croies cette fois le dieu.

ŒDIPE. – Je l'en crois ; et, à mon tour, je t'adresse mes derniers vœux. À celle qui est là, au fond de ce palais, va, fais les funérailles que tu désireras : il est bien dans ton rôle de t'occuper des tiens. Mais pour moi, tant que je vivrai, que jamais cette ville, la ville de mes pères, ne me soit donnée pour séjour ! Laisse-moi bien plutôt habiter les montagnes, ce Cithéron qu'on dit mon lot. Mon père et ma mère, de leur vivant même, l'avaient désigné pour être ma tombe : je mourrai donc ainsi par ceux-là qui voulaient ma mort. Et pourtant, je le sais, ni la maladie ni rien d'autre au monde ne peuvent me détruire : aurais-je été sauvé à l'heure où je mourais, si ce n'avait été pour quelque affreux malheur ? N'importe : que mon destin, à moi, suive sa route ! Mais j'ai mes enfants… De mes fils, Créon, ne prends pas souci. Ce sont des hommes : où qu'ils soient, ils ne manqueront pas de pain. Mais de mes pauvres et pitoyables filles, sans qui jamais on ne voyait dressée la table où je mangeais, et qui toujours avaient leur part de tous les plats que je goûtais, de celles-là je t'en supplie, prends soin ! Et surtout, laisse-moi les palper de mes mains, tout en pleurant sur nos misères. Ah ! prince, noble et généreux prince, si mes mains les touchaient seulement, je croirais encore les avoir à moi, tout comme au temps où j'y voyais... Mais que dis-je ? Ô dieux ! n'entends-je pas ici mes deux filles qui pleurent ? Créon, pris de pitié, m'aurait-il envoyé ce que j'ai de plus cher, mes deux enfants ? Dis-je vrai ?

(Antigone et Ismène sortent du gynécée, conduites par une esclave.)

CRÉON. – Vrai. C'est bien moi qui t'ai ménagé cette joie, dont je savais que la pensée depuis un moment t'obsédait.

ŒDIPE. – Le bonheur soit donc avec toi ! et, pour te payer de cette venue, puisse un dieu te sauvegarder, et mieux qu'il n'a fait moi-même ! – Ô mes enfants, où donc êtes-vous ? venez, venez vers ces mains fraternelles, qui ont fait ce que vous voyez de ces yeux tout pleins de lumière du père dont vous êtes nées ! ce père, mes enfants qui, sans avoir rien vu, rien su, s'est révélé soudain comme vous ayant engendrées dans le sein où lui-même avait été formé !... Sur vous aussi, je pleure – puisque je ne suis plus en état de vous voir – je pleure, quand je songe combien sera amère votre vie à venir et quel sort vous feront les gens. À quelles assemblées de votre cité, à quelles fêtes pourrez-vous bien aller, sans retourner chez vous en larmes, frustrées du spectacle attendu ? Et, quand vous atteindrez l'heure du mariage, qui voudra, qui osera se charger de tous ces opprobres[1] faits pour ruiner votre existence, comme ils ont fait pour mes propres parents ? Est-il un crime qui y manque ? Votre père a tué son père ; il a fécondé le sein d'où lui-même était sorti ; il vous a eues de celle même dont il était déjà issu : voilà les hontes qu'on vous reprochera ! Qui, dès lors, vous épousera ? Personne, ô mes enfants, et sans doute, vous faudra-t-il vous consumer alors dans la stérilité et dans la solitude. Ô fils de Ménécée, puisque tu restes seul pour leur servir de père – nous, leur père et leur mère, sommes morts tous les deux – ne laisse pas des filles de ton sang errer sans époux, mendiant leur pain. Ne fais point leur malheur égal à mon malheur. Prends pitié d'elles, en les voyant si jeunes, abandonnées de tous, si tu n'interviens pas. Donne-m'en ta parole, prince généreux, en me touchant la main… *(Créon lui donne la main.)* Ah ! que de conseils, mes enfants, si vous étiez d'âge à comprendre j'aurais encore à vous donner ! Pour l'instant, croyez-moi, demandez seulement aux dieux, où que le sort vous permette de vivre, d'y trouver une vie meilleure que celle du père dont vous êtes nées.

CRÉON. – Tu as assez pleuré, rentre dans la maison.

ŒDIPE. – Je ne puis qu'obéir, même s'il m'en coûte.

CRÉON. – Ce qu'on fait quand il faut est toujours bien fait.

ŒDIPE. – Sais-tu mes conditions pour m'éloigner d'ici ?

CRÉON. – Dis-les-moi, et je les saurai.

1. Opprobres : sujets de honte et de déshonneur, déchéance.

ŒDIPE. – Veille à me faire mener hors du pays.

CRÉON. – La réponse appartient au dieu.

ŒDIPE. – Mais je fais horreur aux dieux désormais.

CRÉON. – Eh bien ! alors tu l'obtiendras sans doute.

ŒDIPE. – Ainsi tu consens ?

CRÉON. – Je n'ai pas l'habitude de parler contre ma pensée.

ŒDIPE. – Emmène-moi donc tout de suite.

CRÉON. – Viens alors, et laisse tes filles.

ŒDIPE. – Non, pas elles ! non, ne me les enlève pas !

CRÉON. – Ne prétends donc pas triompher toujours : tes triomphes n'ont pas accompagné ta vie.

(On ramène les fillettes dans le gynécée, tandis qu'on fait rentrer Œdipe par la grande porte du palais.)

LE CORYPHÉE. – Regardez, habitants de Thèbes, ma patrie. Le voilà, cet Œdipe, cet expert en énigmes fameuses, qui était devenu le premier des humains. Personne dans sa ville ne pouvait contempler son destin sans envie. Aujourd'hui, dans quel flot d'effrayante misère est-il précipité ! C'est donc ce dernier jour qu'il faut, pour un mortel, toujours considérer. Gardons-nous d'appeler jamais un homme heureux, avant qu'il ait franchi le terme de sa vie sans avoir subi un chagrin.

Arrêt sur lecture 3

Dans sa *Poétique*, Aristote revient à plusieurs reprises sur ce qui constitue à ses yeux le mécanisme dramatique fondamental : la **péripétie**, ou retournement de situation. Celle-ci atteint son efficacité maximale conjuguée avec la **reconnaissance**, « qui conduit de l'ignorance à la connaissance, ou qui conduit vers l'amour ou bien la haine des êtres destinés au bonheur ou bien au malheur ». Et de citer en exemple les troisième et quatrième épisodes d'*Œdipe Roi* : « Ainsi, dans *Œdipe*, l'homme qui arrive dans l'espoir de réjouir Œdipe et de le délivrer de ses craintes à propos de sa mère fait tout le contraire en lui dévoilant son identité. » Et plus loin : « La reconnaissance la plus belle est celle qui s'accompagne d'une péripétie, comme celle qui prend place dans *Œdipe* » (Aristote, *Poétique*, chap. XIV, 1452a 25-35).

Et de fait, c'est peut-être ici, au moment où la terrible vérité va enfin se faire jour, que l'on mesure le mieux l'apport de Sophocle à l'art théâtral et le chemin parcouru depuis Eschyle : tout ici est voué à l'intensité dramatique, tout concourt à la **crainte** et à la **pitié** des spectateurs.

La parole différée

De quoi s'agit-il en effet ? D'une révélation indéfiniment retardée. Si toute la tragédie, à dire vrai, est ce retardement (chacun sait depuis le début qu'Œdipe est coupable et qu'il n'échappera pas à son destin), on constate qu'à l'approche de l'issue fatale, l'action, loin de s'emballer, ralentit encore un peu plus. L'action, c'est-à-dire au théâtre, ne l'oublions pas, la parole, laquelle est confuse, empêchée, refusée, détournée... n'en finit pas de tarder à advenir. Or, si cette temporisation ressortit bien à la technique dramatique, elle participe également au sens le plus profond de la pièce, et pour tout dire à sa **morale**.

Un art consommé du suspense

Le dénouement de l'enquête – Un meurtre. Un enquêteur. Des témoins. Des suspects. Une énigme à résoudre... On a souvent apparenté *Œdipe Roi* à un roman policier. Non sans raison. Nous sentons bien ici que le mystère est sur le point d'être éclairci. Les indices se recoupent. Le témoin principal enfin retrouvé, interrogé par l'enquêteur, va bientôt contribuer de manière décisive, quoique à son corps défendant, à la proclamation du nom du coupable. Le dialogue, comme cela a déjà été le cas à plusieurs reprises (avec Créon et Tirésias), prend la forme d'un interrogatoire, de plus en plus serré, avec ce qu'il faut de résistance et de dénégation d'un côté, d'objurgation et de menace de l'autre.

Les deux formes de suspense – La proximité du dénouement suscite chez le spectateur une attente inquiète : c'est ce qu'on appelle le **suspense**. Il faut toutefois distinguer au moins deux types de suspense, qui diffèrent sensiblement à la fois par leur objet et par l'effet provoqué : dans le premier, le spectateur (qui peut être aussi bien le lecteur) soupçonne que quelque chose va arriver, mais ne sait ni quand, ni comment, ni surtout quoi : c'est donc essentiellement sur la nature de ce « quelque chose » que porte son intérêt, et son identification au héros est alors totale, puisque, comme lui, il ignore tout de ce qui va suivre. Dans le second, nous connaissons à l'avance l'événement en question, et nous en savons, ou du moins nous en devinons, l'imminence : toute notre attention est donc concentrée sur le personnage, par rapport auquel nous nous trouvons cette fois dans une position de surplomb et dont nous guettons les réactions avec un mélange d'effroi et de curiosité. C'est à l'évidence à la seconde forme que nous avons affaire ici.

La technique du retardement – On l'a compris, pour que la tension soit à son comble, il convient de différer le plus possible le moment de la révélation. Pour cela, Sophocle procède de plusieurs manières. Il opère d'abord, si l'on peut dire, par fragmentation. Certains éléments nous ont été distillés précédemment : d'abord par Tirésias, ensuite par Jocaste. Ici, ce sont le messager puis le serviteur qui vont chacun apporter leur contribution. Le sens de cette parcellisation est clair : Sophocle ne veut manifestement pas que les choses aillent trop vite, et fait en sorte que la vérité surgisse non pas d'un seul coup, comme une brutale illumination, mais par recoupements et ajouts successifs.

D'autre part, à observer la manière dont sont menés les deux interrogatoires, on constate qu'Œdipe avance véritablement pas à pas, commençant par poser des questions apparemment oiseuses, ou secondaires, sans rapport direct avec le sujet, pour en venir très progressivement à l'essentiel, non par prudence, mais plutôt dans un souci d'exhaustivité, une volonté farouche de ne rien laisser dans l'ombre. Il arrive même que des sortes de parenthèses soient introduites, des digressions apparemment gratuites qui font un bref instant perdre le fil, mais confèrent en définitive à la confrontation à la fois son réalisme et son intensité.

La langue maudite

Au théâtre, on le sait, on ne fait guère que parler, l'action y est avant tout acte de discours. Or, de ce point de vue, on ne peut qu'être frappé d'un paradoxe : il y a dans *Œdipe Roi* comme un défaut fondamental du langage, qui semble voué à une triple malédiction : le malentendu, la résistance, l'excès.

Le malentendu – Instrument de précision indispensable pour dire les choses, le langage est aussi gros d'ambiguïté, d'équivoque, de méprise, comme en témoigne d'abord l'oracle, cette parole énigmatique, toujours à déchiffrer, témoignage de l'imbécillité humaine (entendue au sens premier de faiblesse). Mais si le langage divin se veut obscur et double, c'est involontairement que les mots des hommes sont, eux, source de malentendus. Ainsi, au début de ce troisième épisode, le messager vient annoncer la mort de Polybe, une nouvelle propre, selon lui, à réjouir Jocaste et Œdipe, puisque c'est pour ce dernier la promesse du trône de Corinthe. Mais c'est en un tout autre sens que le message ravit la reine et qu'elle court en avertir son époux, puisqu'il paraît réduire à néant la prédiction funeste.

La résistance – On peut dire qu'à l'exception d'Œdipe, tous les personnages, au moins à un moment de la pièce, refusent de parler ou de laisser parler : c'est le cas de Tirésias, qu'Œdipe force à révéler ce qu'il sait :

> Comment ? tu sais et tu ne veux rien dire ! (p. 39)

C'est aussi le cas de Créon, sommé d'avouer un complot imaginaire :

> CRÉON. – Je ne sais. Ma règle est de me taire quand je n'ai pas d'idée.
> ŒDIPE. – Ce que tu sais et ce que tu diras, si tu n'as pas du moins perdu le sens... (p. 62)

de Jocaste, qui voudrait enrayer la machine infernale :

> Arrête-toi pourtant, crois-moi, je t'en conjure. (p. 99)

et bien sûr du serviteur terrorisé :

> Si je parle, ma mort est bien plus sûre encore. (p. 104)

Tous semblent voir dans les mots une source de maux, et cherchent la fuite dans le silence.

L'excès – De fait, l'autre versant de cette (impossible) rétention de la parole, c'est son excès même. Parler, c'est toujours en dire trop, et courir à sa perte. Ainsi des révélations intempestives de Jocaste sur la prophétie :

> Va, absous-toi toi-même du crime dont tu parles, et écoute-moi. (p. 69)

et des mots malheureux du messager destinés à rassurer Œdipe .

> LE CORINTHIEN – Et c'est cette crainte seule qui te tenait loin de ta ville ? [...] Pourquoi ai-je donc tant tardé à t'en délivrer plus tôt... (p. 94-95)

Mais s'il est un personnage que sa logorrhée* conduit au malheur, c'est naturellement Œdipe, dont la longue déclaration, au début de la pièce, apparaît rétrospectivement pour le moins imprudente : le spectateur ne peut s'empêcher de songer qu'« il aurait mieux fait de se taire ! ». Au reste, sur ce point, Œdipe ne change guère : à la fin de la tragédie, misérable, aveugle, rejeté des siens, il ne renonce pas pour autant à discourir ! Il arrive d'ailleurs que, dans de rares moments de lucidité, le héros prenne conscience de ce défaut :

Je crains pour moi, ô femme, je crains d'avoir trop parlé. (p. 72)

Vanité du vouloir

Il faut aller plus loin. La faillite de la parole participe d'un échec plus large, qui est celui de la volonté : celui qui veut se taire est contraint de parler; et celui qui parle dit autre chose que ce qu'il veut dire. Dans *Œdipe Roi*, rien n'arrive de ce qu'on a voulu, rien n'arrive comme on l'a voulu. C'est bien entendu le sens profond de l'ironie tragique : la flèche ne parvient jamais jusqu'à la cible, elle est toujours déviée dans une autre direction, quand elle ne retourne pas purement et simplement à l'envoyeur ! Œdipe peut bien en effet prétendre diriger, ou au moins contrôler, et les hommes et les événements. Comme le dit l'historien Jean-Pierre Vernant : « Rien, sinon sa volonté têtue de démasquer le coupable, la haute idée qu'il se fait de sa charge, de ses capacités, de son jugement, son désir passionné de connaître à tout prix la vérité – rien ne l'oblige à pousser l'enquête jusqu'à son terme. »

Il reste que cette extraordinaire énergie, cette admirable opiniâtreté viennent s'échouer sur un constat brutal : le héros ne trouve jamais ce qu'il cherche, et n'obtient jamais ce qu'il désire. Et cette débâcle du vouloir, qui touche d'ailleurs plus ou moins tous les personnages, n'apparaît jamais aussi nettement que dans ce dénouement de l'intrigue : échec de Jocaste à empêcher son époux de rechercher la vérité, échec du messager à apaiser les craintes du roi, échec du serviteur à taire son terrible secret… échec d'Œdipe, bien sûr, qui avait convoqué ce dernier dans l'espoir qu'il confirmerait son ancien témoignage sur le meurtre de Laïos (tué, selon lui, par des brigands), et se trouve amené à le questionner non sur le meurtre en question, mais sur sa propre origine, avec les conséquences que l'on sait.

Faut-il voir là, de la part de Sophocle un insistant rappel de la fragilité et de l'impuissance humaines, une incitation à recourir aux dieux plutôt qu'à prétendre faire soi-même son destin ? Sans doute. Mais nous verrons plus loin que les choses ne sont pas si simples.

Une scène conventionnelle : le récit du messager

Dans la tragédie grecque, la scène sanglante – bataille, meurtre ou suicide – qui est une figure quasi obligée, représente une vraie gageure, et cela pour trois raisons essentielles : la première tient à la logique de l'intrigue, qui exige que certains de ces événements se déroulent loin du lieu unique de la pièce ; il y faudrait un changement de décor, inenvisageable à l'époque. La deuxième raison, qui rejoint la première, réside dans les conditions matérielles de la représentation : comment montrer une bataille ? ou un foudroiement des dieux ? ou même un suicide par pendaison ? Le nombre très restreint des acteurs, les décors rudimentaires, et l'inexistence des machines à effets spéciaux interdisent purement et simplement de telles scènes. La troisième raison est d'un autre ordre : n'oublions pas l'origine religieuse de la tragédie ; le théâtre est donc un lieu sacré, où le sang ne peut couler.

Pour contourner ces obstacles, les dramaturges procèdent dans l'ensemble de deux manières différentes : la première consiste à faire entendre aux spectateurs la scène qui se déroule derrière la *skênè** (à l'intérieur du palais). C'est le choix de Sophocle pour le meurtre de Clytemnestre dans *Électre* :

« CLYTEMNESTRE, *à l'intérieur.* – Ah ! maison vide d'amis et toute pleine de tueurs !...
ÉLECTRE. – On crie là-dedans, mes amies, n'entendez-vous pas ?
LE CHŒUR. – *Malheureuse, j'entends des cris que je ne voudrais pas entendre et qui me donnent le frisson.*
CLYTEMNESTRE. – Las ! misérable ! Égisthe, où donc es-tu ? »

Mais la pratique la plus courante (qui s'est maintenue et a connu son apogée dans le théâtre classique français) est le récit : un personnage secondaire – serviteur, messager – vient raconter au public la scène à laquelle il vient d'assister. Il s'agit alors, par la simple puissance du verbe, de faire éprouver aux spectateurs des émotions aussi fortes que s'ils assistaient eux-mêmes à l'action. On voit ainsi comment le récit constitue pour l'auteur un véritable morceau de bravoure, susceptible de lui permettre de faire la démonstration de son talent, mais sur lequel il sera jugé d'autant plus impitoyablement que ses concurrents se mesurent à lui sur le même terrain.

Préparation à l'étude du récit du messager

Voici trois axes possibles pour une lecture méthodique de cet extrait. À vous de développer l'analyse en répondant aux questions.

1 – Fonctions du récit

a – Faire savoir :

À qui s'adresse le messager ? N'y a-t-il qu'un seul destinataire ?

La première fonction du récit est d'informer de ce qui s'est passé à l'intérieur du palais. Justifiez le fait que ces événements ne soient pas représentés.

Une phrase aurait suffi pour annoncer le suicide de Jocaste et l'automutilation d'Œdipe : y a-t-il cependant des détails qui vous paraissent importants ? Pourquoi ?

b – Faire voir et faire entendre :

Montrez comment le messager insiste sur les attitudes, les gestes des deux personnages. Dans quel but ?

Par quels procédés stylistiques (temps verbaux, modalités de phrases, constructions syntaxiques, etc.) les événements relatés nous sont-ils rendus présents et vivants ?

Les paroles des deux personnages sont-elles rapportées exactement de la même manière ? Selon vous, pour quelle raison ?

Dans quelle mesure peut-on dire qu'il s'agit d'un récit réaliste ?

c – Faire ressentir :
Relevez les champs lexicaux qui ressortissent au pathétique*.

Le but de la tragédie, selon Aristote, est de susciter chez le spectateur des sentiments de crainte et de pitié. Selon vous, ce récit réalise-t-il cet objectif ?

2 – Deux fautes, deux châtiments

a – Un récit en deux temps :
Dégagez la structure du récit. Montrez-en la symétrie

Montrez comment – spatialement et psychologiquement – le couple semble définitivement désuni. Comment l'expliquez-vous ?

Quel objet fait néanmoins le lien entre Jocaste et Œdipe ? Qu'en pensez-vous ?

b – Suicide et automutilation :
Jocaste se pend et Œdipe se mutile : comment expliquez-vous cette différence ?

Comparez les paroles des deux personnages. Là encore, témoignent-elles des mêmes préoccupations ?

Relisez la tirade d'Œdipe qui suit ce récit (p. 112-114) : en quoi nous permet-elle de mieux comprendre les raisons de son geste ?

c – Une vérité qui « crève les yeux » :
Commentez la nature de la mutilation du héros. Quel leitmotiv (cherchez le sens de ce mot dans le dictionnaire) de la pièce rejoint-elle ? Précisez le sens de cette « métaphore obsédante ».

3 – Position du messager

a – Un témoin du drame .
Que savons-nous du messager ? Quel est son statut ?

Citez les passages où il reconnaît les limites de son témoignage.

Dans quelle mesure le récit lui-même confirme-t-il ces limites ? Étudiez en particulier la manière dont nous est révélée la mort de Jocaste. Comment Sophocle procède-t-il ?

b – Un acteur du drame :

Relevez les commentaires du messager. De quel ordre sont-ils ?

Quels sont les sentiments du messager à l'égard de Jocaste et d'Œdipe ?

c – Un dramaturge :

Montrez en quoi, à certains égards, le messager fait ici office de dramaturge.

Groupement de textes

Sophocle, *Électre* : la « mort » d'Oreste

Dans *Électre*, Sophocle est confronté à trois reprises au problème de la mort d'un personnage, et il résout à chaque fois la question différem ment. Nous avons vu précédemment comment l'assassinat de Clytemnestre était vécu « en direct » par les spectateurs, qui entendent ses cris derrière la porte. Plus tard, la pièce se clôt sur l'imminence de l'exécution d'Égisthe, à laquelle nous n'assisterons pas, et qui ne nous sera pas rapportée. Il y a pourtant bien un messager (le précepteur) qui vient annoncer la mort du héros dans la pièce ; mais son récit est trompeur : il s'agit en effet d'une ruse, destinée à faire croire qu'Oreste est mort (à l'occasion d'une course de chars), afin de favoriser sa vengeance. Raison de plus pour que le narrateur y mette toute sa force de conviction !

« Il voit qu'il ne lui reste qu'un seul concurrent. Il fait claquer un bruit sec aux oreilles de ses animaux ardents et se lance... Tous deux maintenant vont menant de front. Tantôt c'est l'un, tantôt c'est l'autre, dont on aperçoit la tête en avant de son propre char. Le malheureux avait sans défaillance mené son char bien droit tous les autres tours, bien droit lui-même sur son char toujours droit, quand soudain il laisse filer la guide de gauche au moment même où son cheval prend le tournant, et, malgré lui, il heurte alors la borne, brise son essieu entre les moyeux et glisse par dessus la rampe de son char. Le voilà aussitôt empêtré dans les guides et, tandis qu'il roule à terre, ses chevaux s'égaillent à travers la lice. Le peuple qui le voit tomber de son char pousse un cri de deuil sur le jeune athlète : quel désastre après quels exploits ! On le voit tantôt projeté au sol et tantôt les jambes dressées vers le ciel – jusqu'au moment où les autres cochers, arrêtant à grand-peine la course de ses bêtes, le dégagent, couvert de sang, dans un état où pas même un des siens ne pourrait reconnaître sa pauvre dépouille. On l'a sans retard brûlé sur un bûcher : on a recueilli dans un bronze étroit la puissante stature de ce héros réduit en une triste cendre, et des Phocidiens ont été délégués pour vous l'apporter, afin qu'il obtienne au moins une tombe au sol de ses pères. Voilà ! Ce sont là des faits pénibles à entendre et pour nous qui les avons vus de nos propres yeux, ce spectacle restera le plus douloureux de tous ceux auxquels j'aie jamais assisté. »

Électre, in Sophocle, *Tragédies*,
trad. Paul Mazon, Gallimard,
coll. « Folio classique », 1973.

Euripide, *Électre* : la mort d'Égisthe

Euripide choisit de faire raconter par un messager la mort d'Égisthe. Vous apprécierez le lien suggéré par l'auteur entre le sacrifice du veau, annonciateur d'un destin funeste, et le meurtre de l'usurpateur.

« Oreste alors s'empare du couteau dorien bien forgé,
il fait tomber de ses épaules son beau manteau richement agrafé,
et prend Pylade seul pour l'aider dans sa tâche,
écartant ainsi les valets. Puis, le pied de la bête bien en main,
et allongeant le bras, il met à nu les chairs luisantes,
levant la peau en moins de temps qu'un bon coureur
ne va et vient d'un bout à l'autre du stade des chevaux.
Alors il incise les flancs. Égisthe prend les viscères sacrés et les examine.
Un lobe manque au foie.
La veine porte et les vaisseaux près de la vésicule
révèlent à ses yeux des gonflements funestes.
Il s'assombrit et mon maître demande :
« D'où te vient cet air abattu ? » « Je redoute, étranger, une embûche

venant du dehors. Car j'ai un ennemi mortel, le fils d'Agamemnon, qui est en guerre contre ma maison. »
« Et tu vas, dit Oreste, craindre un proscrit et ses manœuvres,
toi qui règnes dans la cité ? Allons ! afin que nous puissions
nous régaler des viscères grillés, apportez-moi,
au lieu de ce couteau dorien, un couperet de Phthie, que je fende la poitrine. »
Il saisit l'arme et coupe. Égisthe alors prend les entrailles, les détache, les examine. Pendant qu'il est penché,
ton frère se dresse sur la pointe des pieds,
le frappe aux vertèbres, lui fracasse le cou.
Son corps tout entier sursaute et se convulse.
Égisthe hurle et se débat dans l'agonie.
À cette vue, les valets aussitôt bondirent sur leurs lances,
prêts à combattre ensemble contre eux deux.
Mais Oreste et Pylade firent front, lances dressées, avec courage.
Ton frère dit : « Je ne suis pas venu en ennemi de ma cité ni de mes gens,
mais pour venger le meurtre de mon père, moi,
le malheureux Oreste. Vous n'allez pas me tuer,
vous qui jadis avez servi Agamemnon. »
À ces mots, les piques s'abaissent, Oreste est reconnu
par un vieillard depuis longtemps en service au palais.
Avec des cris de joie ils couronnent ton frère
qui va venir lui-même te mettre sous les yeux
une tête, non du tout celle de Gorgone,
mais cet Égisthe que tu hais. Le sang a coulé pour le sang, et la dette est payée au mort avec usure. »

Électre, in Euripide, *Tragédies complètes II*,
Gallimard, coll. « Folio classique », 1962.

Corneille, *Le Cid* : la bataille contre les Maures

Dans la tragédie française du XVIIe siècle, le récit est devenu une figure obligée. Voici l'un des plus célèbres : il s'agit de la bataille que Rodrigue – le Cid – vient de mener victorieusement contre les Maures. Ce récit fait également office de plaidoyer *pro domo* (en sa propre faveur) : l'empereur pardonnera à Rodrigue d'avoir tué en duel don Gormas, le père de sa bien-aimée Chimène.

« DON RODRIGUE

Sous moi donc cette troupe s'avance,
Et porte sur le front une mâle assurance.
Nous partîmes cinq cents; mais par un prompt renfort
Nous nous vîmes trois mille en arrivant au port,
Tant, à nous voir marcher avec un tel visage,
Les plus épouvantés reprenaient leur courage!
J'en cache les deux tiers, aussitôt qu'arrivés,
Dans le fond des vaisseaux qui lors furent trouvés;
Le reste, dont le nombre augmentait à toute heure,
Brûlant d'impatience autour de moi demeure,
Se couche contre terre, et sans faire aucun bruit,
Passe une bonne part d'une si belle nuit.
Par mon commandement la garde en fait de même,
Et se tenant cachée, aide à mon stratagème;
Et je feins hardiment d'avoir reçu de vous
L'ordre qu'on me voit suivre et que je donne à tous.
Cette obscure clarté qui tombe des étoiles
Enfin avec le flux nous fait voir trente voiles;
L'onde s'enfle dessous, et d'un commun effort
Les Mores et la mer montent jusques au port.
On les laisse passer; tout leur paraît tranquille;
Point de soldats au port, point aux murs de la ville.
Notre profond silence abusant leurs esprits,
Ils n'osent plus douter de nous avoir surpris;
Ils abordent sans peur, ils ancrent, ils descendent,
Et courent se livrer aux mains qui les attendent.
Nous nous levons alors, et tous en même temps
Poussons jusques au ciel mille cris éclatants.
Les nôtres, à ces cris, de nos vaisseaux répondent;
Ils paraissent armés, les Mores se confondent,
L'épouvante les prend à demi descendus;

Avant que de combattre, ils s'estiment perdus.
Ils couraient au pillage, et rencontrent la guerre ;
Nous les pressons sur l'eau, nous les pressons sur terre,
Et nous faisons courir des ruisseaux de leur sang,
Avant qu'aucun résiste ou reprenne son rang. »

Corneille, *Le Cid*, Gallimard,
coll. « La bibliothèque Gallimard », 1998.

Racine, *Phèdre* : le récit de Théramène

Le récit de Théramène, à la fin de *Phèdre,* n'est pas moins fameux que le précédent. Vous pourrez comprendre, en le lisant, les raisons pour lesquelles il ne pouvait guère être question de représenter la scène devant les spectateurs !

« THÉRAMÈNE

[...]
Un effroyable cri, sorti du fond des flots
Des airs en ce moment a troublé le repos ;
Et du sein de la terre une voix formidable
Répond en gémissant à ce cri redoutable.
Jusqu'au fond de nos cœurs notre sang s'est glacé.
Des coursiers attentifs le crin s'est hérissé.
Cependant sur le dos de la plaine liquide
S'élève à gros bouillons une montagne humide.
L'onde approche, se brise, et vomit à nos yeux
Parmi des flots d'écume, un monstre furieux.
Son front large est armé de cornes menaçantes.
Tout son corps est couvert d'écailles jaunissantes.
Indomptable taureau, dragon impétueux,
Sa croupe se recourbe en replis tortueux.
Ses longs mugissements font trembler le rivage.
Le ciel avec horreur voit ce monstre sauvage,
La terre s'en émeut, l'air en est infecté,
Le flot, qui l'apporta, recule épouvanté.
Tout fuit, et sans s'armer d'un courage inutile

Dans le temple voisin chacun cherche un asile.
Hippolyte lui seul digne fils d'un héros,
Arrête ses coursiers, saisit ses javelots,
Pousse au monstre, et d'un dard lancé d'une main sûre
Il lui fait dans le flanc une large blessure.
De rage et de douleur le monstre bondissant
Vient aux pieds des chevaux tomber en mugissant,
Se roule, et leur présente une gueule enflammée,
Qui les couvre de feu, de sang et de fumée. [...] »

Phèdre, Gallimard, coll. « La bibliothèque Gallimard », 1995 pour le texte établi par Christian Delmas et Georges Forestier, 1999 pour l'accompagnement pédagogique.

à vous...

Nous avons vu pour quelles raisons Sophocle et ses contemporains avaient choisi de rapporter ces événements tragiques sous la forme d'un récit, pratique reprise au XVIIe siècle dans le théâtre classique. Pourtant, les dramaturges anglais élisabéthains (comme Shakespeare), ou encore, au XIXe siècle, les auteurs de drames romantiques (Musset, Hugo, etc.) et de mélodrames n'hésitent pas à représenter ce genre d'actions sur scène. D'un point de vue strictement théâtral, quel est, à votre avis, le choix le plus efficace ? Justifiez votre réponse. Vous pourrez également, sous la forme d'une discussion, défendre successivement les deux points de vue, en les étayant d'arguments.

Bilans

Résumé de la tragédie

Prologue

Des plaintes font sortir Œdipe, le roi de Thèbes, de son palais. Sur les marches, se tient un groupe d'enfants accompagné du prêtre de Zeus, qui supplie le souverain de délivrer une seconde fois la cité du fléau qui l'accable : après la Sphinx, c'est la peste cette fois qui décime les Thébains. Œdipe rappelle qu'il a confié à Créon, frère de son épouse Jocaste, la mission d'aller consulter l'oracle de Delphes pour connaître les volontés des dieux. Or, voici que justement Créon est de retour et vient transmettre le message d'Apollon : un crime impuni souille Thèbes. Tant que les meurtriers de Laïos, l'ancien souverain, n'auront pas été retrouvés, l'épidémie ravagera la ville. À la demande d'Œdipe, Créon rappelle les circonstances du régicide, telles qu'elles ont été rapportées par un témoin aujourd'hui disparu. Œdipe reproche à mots couverts à Créon d'avoir abandonné bien vite les recherches, et s'engage à mener l'enquête à son terme.

Parodos

Entrée du chœur – de nobles vieillards – qui déplore les malheurs de la cité et invoque l'aide des dieux.

Premier épisode

Œdipe renouvelle son engagement. Dans un long discours solennel, il promet de châtier quiconque tairait des informations ou porterait assistance au criminel. Quant à celui-ci, il le voue « à user misérablement, comme un misérable, une vie sans joie ».

Le coryphée* suggère de faire appel au devin Tirésias, lequel commence par se dérober aux questions du roi. Celui-ci, furieux, l'accuse du meurtre. Tirésias lui révèle alors que l'assassin n'est autre que lui-même, Œdipe. S'ensuit une altercation entre les deux hommes. Œdipe soupçonne une machination commune de Créon et du devin. Ce dernier se retire en annonçant que le coupable se révélera avoir tué son père et épousé sa mère, et qu'il finira aveugle et mendiant.

Premier *stasimon*

Face aux accusations mutuelles des deux hommes, le chœur semble hésitant, mais n'en réaffirme pas moins sa confiance en Œdipe.

Deuxième épisode

Créon se plaint au coryphée d'être victime de la malveillance du roi. La confrontation entre les deux hommes est violente. Œdipe soupçonne son beau-frère de vouloir le trône. Créon nie dans son plaidoyer être assoiffé de pouvoir et affirme se contenter, sagement, de ce qu'il a. Œdipe n'en persiste pas moins dans ses accusations, et promet de faire exécuter Créon. Jocaste intervient et tente d'apaiser la querelle.

Le coryphée reproche sa colère au roi, et l'exhorte à la mansuétude.

Œdipe rapporte à Jocaste les insinuations de Tirésias. Celle-ci s'efforce de le rassurer : la prédiction selon laquelle Laïos serait tué par son fils s'est révélée fausse puisqu'il a été assassiné par un brigand. On ne peut donc faire confiance aux oracles. Mais le récit de Jocaste, loin de tranquilliser Œdipe, le trouble au plus haut point. Il demande qu'on appelle le témoin survivant du meurtre, un serviteur âgé. Puis il raconte à Jocaste les circonstances dans lesquelles il a été amené à quitter Corinthe, à s'enquérir de son origine, puis, ayant entendu la réponse énigmatique mais inquiétante d'Apollon, à fuir ses parents et, sur la route, à tuer un homme lors d'une dispute. Effrayé, il commence à entrevoir la vérité. Il reste cependant un espoir : le témoin a parlé d'un groupe de brigands. Il faut donc l'interroger.

Deuxième *stasimon*

Le chœur reproche à Œdipe sa démesure, et s'en remet aux dieux, auxquels il adresse de ferventes prières.

Troisième épisode

Un messager de Corinthe vient annoncer une bonne nouvelle : Polybe est mort dans son lit; Œdipe n'a donc pas tué son père. Mais le roi n'est pas complètement rassuré pour autant, car sa mère étant vivante, la seconde partie de la prophétie peut toujours se réaliser. Croyant apaiser tout à fait ses craintes, le messager lui révèle alors qu'il n'est pas le fils de Polybe et de Mérope, mais un enfant trouvé, blessé aux pieds, que lui a confié jadis un berger de Laïos. Jocaste tente de dissuader son époux de chercher à en savoir plus, mais lui ne l'écoute pas et décide d'élucider le mystère.

Troisième *stasimon*

Le chœur s'interroge sur les origines d'Œdipe, mais ne doute pas de leur caractère divin.

Quatrième épisode

Convoqué et questionné, le vieux serviteur commence par se dérober; mais devant le témoignage du Corinthien, et menacé violemment par le roi, il finit par avouer que celui-ci est bien le fils de Laïos et de Jocaste. La vérité éclate au grand jour. Œdipe, au désespoir, rentre en courant dans le palais.

Quatrième *stasimon*

Le chœur plaint le destin d'Œdipe et rappelle la fragilité du bonheur humain.

Cinquième épisode et *Exodos*

Un messager vient faire le récit de la mort de Jocaste, qui s'est pendue, et de la mutilation d'Œdipe, qui s'est crevé les yeux. Apparition de ce dernier, aveugle. Le chœur mêle ses plaintes à celles du héros.

Créon, nouveau roi de Thèbes, se montre magnanime, et accepte d'amener à Œdipe ses deux filles pour un dernier adieu.

Le coryphée* tire la leçon de la tragédie : il est imprudent de juger du bonheur d'un homme avant qu'il soit parvenu au terme de sa vie.

Structure(s) d'*Œdipe Roi*

Le résumé qui précède respecte la composition canonique préconisée par Aristote : le prologue, le *parodos** (l'entrée du chœur), plusieurs épisodes entrecoupés de *stasima**, et l'exode (la sortie du chœur). Mais la pièce, dans sa logique dramaturgique, semble obéir à une structure ternaire. Encore celle-ci peut-elle répondre à deux logiques quelque peu différentes, quoique parfaitement compatibles.

Les trois étapes d'une révélation

Le temps des conflits – L'autorité royale s'affirme avec une brutalité grandissante : aux reproches à peine voilés adressés par Œdipe à ses interlocuteurs dans le Prologue, succèdent l'affrontement avec Tirésias, puis, plus violent encore, celui avec Créon. L'accomplissement du destin réclame un châtiment, d'autant plus tragique et exemplaire qu'il prendra la forme d'un retournement radical : il s'agit donc d'abord de laisser Œdipe lui-même mettre en place les conditions de sa future déchéance. D'où sa montée en puissance (plus dure sera la chute !) et son aveuglement croissant.

Le temps de la révélation – Celle-ci s'opère graduellement. Ainsi, à la suite des premières révélations de Jocaste, qui ont mis son époux au supplice, on vient annoncer la mort de Polybe, roi de Corinthe et père présumé d'Œdipe : ce dernier est donc rassuré (et le spectateur avec lui), puisque la preuve semble faite que l'oracle s'est trompé. Le soulagement, on le sait, sera de courte durée, et plus rien ensuite n'arrêtera le cours du destin.

Le temps du châtiment – Le messager vient faire l'effroyable récit de la mort de Jocaste et de la mutilation d'Œdipe, avant que celui-ci n'apparaisse une dernière fois pour déplorer son destin devant un Créon toujours aussi sage et généreux, et que le chœur tire l'ultime leçon de la tragédie.

Une série de renversements

Il existe cependant une autre structure possible, dont le principal mérite est de mettre en valeur la notion de renversement, ou péripétie, notion fondamentale, on l'a vu, dans la tragédie antique. Il est en effet permis de voir dans l'intrigue d'*Œdipe Roi* une succession de trois grandes péripéties :

Première péripétie – Dans le prologue, Œdipe, face au prêtre et aux suppliants d'abord, face à Créon ensuite, affiche sa détermination à rechercher, identifier et châtier le coupable du meurtre de Laïos. Or, l'instant d'après, c'est lui-même qui se trouve mis en cause par Tirésias.

Deuxième péripétie – Un peu plus loin, Œdipe s'en prend violemment à Créon, qu'il accuse d'avoir fomenté un complot contre lui avec l'aide du devin. Mais, Créon parti, Jocaste fait au roi des révélations qui se veulent apaisantes mais ne laissent pas de le troubler, et le font passer de la position de procureur à celle de suspect, pour ne pas dire d'accusé.

Troisième péripétie – Enfin, le même messager corinthien qui vient annoncer à Œdipe la mort de Polybe (l'oracle s'est donc trompé, il ne tuera pas son père) lui révèle… qu'il n'est pas le fils de Polybe, mais de Laïos ! La nouvelle qui devait sauver le héros va donc entraîner sa perte.

Tragédie et démocratie

« La tragédie prend naissance quand on commence à regarder le mythe avec les yeux du citoyen. » Cette formule célèbre de Walter Nestle revient à poser le problème des relations entre la démocratie et la tragédie (qui naissent, rappelons-le, au même moment), et plus largement, du rôle joué par cette dernière dans le passage du *muthos** au *logos** (Ouvertures).

Tragédie et responsabilité

L'instauration du régime démocratique repose sur une conception entièrement nouvelle de l'homme, considéré non plus comme une créature soumise à son destin, mais comme un être autonome, doué d'une volonté (susceptible, donc, de participer à la vie politique de la Cité), et jouissant de droits. Mais il y a une contrepartie, le devoir. Et en effet, comme nous allons le voir un peu plus loin, la question se pose de la culpabilité d'Œdipe, question non pertinente dans un monde entièrement dominé par le divin, puisque seul un être libre peut être tenu pour responsable : dans les premières versions du mythe (bien avant les temps démocratiques, donc), Œdipe demeurait roi de Thèbes jusqu'à sa mort et ne recevait aucun châtiment.

Tragédie et psychologie

La démocratie, on le conçoit bien, marque également l'avènement de l'individu. Dans le *muthos**, l'homme n'est qu'un membre parmi d'autres au sein d'un groupe, d'une collectivité (elle-même soumise aux dieux et à son représentant, le souverain), et le tout prime sur les parties qui le constituent (Ouvertures). Les choses changent avec la démocratie : l'être humain y est en effet – idéalement du moins – une personne à part entière, valant pour elle-même, et dont il s'agit de prendre en considération la spécificité sous ses multiples facettes. Dès lors, l'intériorité humaine devient un sujet d'intérêt, en particulier pour les dramaturges. D'où le conflit de l'individu avec lui-même : à la fois coupable et innocent, libre et aliéné, lucide et aveugle. Le temps n'est plus aux exploits héroïques, ni même vraiment, en définitive, à l'affrontement avec les dieux, mais bien au face-à-face avec soi-même.

Tragédie et histoire

La tragédie marque également une modification du rapport des hommes à la temporalité : au temps des dieux, temps sacré, cyclique, éternel, se substitue peu à peu le temps des hommes, profane, linéaire, irréversible. N'oublions pas qu'Hérodote, le premier « historien », est contemporain et ami de Sophocle. Mais le temps historique n'abolit pas tout de suite le temps sacré : il commence par s'y superposer.

Autrement dit, avec la démocratie, les rapports entre l'homme et le sacré se trouvent modifiés. Mais ce dont rend compte la tragédie, et particulièrement *Œdipe Roi*, c'est ce moment de transition où le premier ne s'est pas encore tout à fait substitué au second. La tragédie se construit donc sur la confrontation de deux ordres à peu près d'égale puissance : l'humain et le divin. Écoutons ce que dit Albert Camus à ce sujet, dans une conférence donnée à Athènes en 1955 :

« Il y a tragédie lorsque l'homme par orgueil (ou même par bêtise comme Ajax) entre en contestation avec l'ordre divin, personnifié dans un dieu ou incarné dans la société. [...] Tout ce qui, à l'intérieur de la tragédie, tend à rompre cet équilibre détruit la tragédie elle-même. Si l'ordre divin ne suppose aucune contestation et n'admet que la faute et le repentir, il n'y a pas tragédie. [...] Inversement, tout ce qui libère l'individu et soumet l'univers à sa loi toute humaine, en particulier par la négation du mystère de l'existence, détruit à nouveau la tragédie. »

Albert Camus, « Sur l'avenir de la tragédie »
in *Théâtre, récits, nouvelles*, Gallimard,
coll. « Bibliothèque de la Pléiade ».

C'est sans doute dans la recherche d'un équilibre entre les deux qu'il faut chercher la leçon de notre pièce.

La leçon d'*Œdipe Roi*

L'idée qu'une œuvre d'art, entre autres littéraire, puisse avoir une visée - et une vertu – morale, « pédagogique » si l'on veut, est assez éloignée de nos mentalités contemporaines. Il faut pourtant savoir que cette fonction a été considérée comme première durant des siècles, et cela jusqu'à une époque relativement récente.

Œdipe est-il coupable ?

Redoutable question, par laquelle il faut bien commencer pourtant, car, on l'aura compris, *Œdipe Roi* ne peut prétendre transmettre une morale qu'à condition qu'Œdipe soit au moins en partie responsable de ses crimes.

L'excuse de la fatalité – L'objection principale à la culpabilité du héros est naturellement le destin dont il est le jouet, autrement dit la fatalité. Car, rappelons-le, sans liberté, pas de culpabilité. La volonté des dieux semble donc excuser Œdipe, qui se dit lui-même « le maudit entre les maudits » (p. 111), et « l'homme qui parmi les hommes est le plus abhorré des dieux » (p. 111). Cette vision d'un Œdipe, pure victime de l'arbitraire suprême, est pourtant sujette à caution, et cela pour plusieurs raisons.

L'« oubli » du crime de Laïos – La première raison réside dans l'infléchissement que Sophocle fait subir au mythe. Dans ce dernier en effet, nous l'avons vu (Ouvertures), la malédiction qui poursuit Œdipe punit en réalité son père Laïos, responsable de la mort de Chrysippe. En ce sens, Œdipe peut en effet à bon droit apparaître comme une victime innocente, châtiée pour un crime qu'elle n'a pas commis. Or, Sophocle gomme soigneusement cette faute originelle, dont il n'est pas question dans la pièce. Et ce faisant, il prive le héros de sa principale défense.

Entêtement et aveuglement – D'autre part, on note qu'Œdipe, à de nombreuses reprises, touche de près la vérité (les accusations et les prédictions de Tirésias, le récit de Jocaste, la révélation du messager...). Or, chaque fois, il la refuse et s'obstine dans une attitude qui le mène à sa perte. Car s'il se révèle incapable d'interpréter correctement les signes, c'est moins, à vrai dire, parce que ceux-ci sont trompeurs que parce qu'il nie ce qui, littéralement, « lui crève les yeux » ! Et c'est sans doute cette même cécité – qui tient plus du refus que de l'infirmité –, qui l'a conduit avant la pièce, contre toute raison et contre toute prudence, à accepter le trône de Thèbes et à épouser Jocaste, qui avait l'âge d'être sa mère.

Orgueil et impatience – Enfin, les défauts d'Œdipe ne sont nullement édulcorés par Sophocle. Son propre récit de sa querelle avec le voyageur (en réalité le meurtre de son père) confirme ce que nous pouvons constater par nous-même au cours de ses confrontations avec Tirésias, avec Créon, avec le vieux serviteur : la facilité avec laquelle la colère le gagne, le submerge, et lui fait perdre toute lucidité ; l'extrême violence de ses réactions, presque toujours suscitées par un **orgueil démesuré**, qui lui rend insupportable toute résistance, si infime soit-elle, à son autorité.

Volonté ou prescience divines? – Reste tout de même la question de l'oracle. La réalisation de la prophétie, annoncée une première fois par la Pythie et une seconde fois par Tirésias, semble bien confirmer que ce qui arrive à Œdipe est voulu par les dieux. Pourtant, là encore cette lecture est discutable. Tout est une question d'interprétation : lorsque les dieux déclarent au héros, par la bouche de leurs messagers, qu'il épousera sa mère et qu'il tuera son père, ou encore qu'il se crèvera les yeux et sera exilé de sa cité, s'agit-il à proprement parler d'une **volonté**, ou plus simplement d'une **annonce**? Autrement dit, les dieux veulent-ils ce qui arrive à Œdipe, ou ne se contentent-ils pas de le savoir?

En quoi y a-t-il une leçon d'*Œdipe Roi*?

Crainte et pitié : les conditions d'une leçon – Revenons un instant sur ce que nous disions dans les Ouvertures : selon Aristote, la tragédie doit produire la *catharsis**, c'est-à-dire la purge des passions. Il s'agit donc de montrer au public « ce qu'il ne faut pas faire ». Mais il importe que le dramaturge soit capable de faire éprouver aux spectateurs ces deux sentiments indispensables à l'efficacité du « médicament » : la crainte et la pitié. Sans la crainte, pas de leçon, car pourquoi vouloir se débarrasser de ses passions sinon par peur des terribles conséquences qu'elles risquent d'entraîner? Mais sans la pitié, pas de leçon non plus, car pour que le spectateur s'applique à lui-même la morale de la pièce, il faut qu'il se mette à la place du héros qui souffre, qu'il souffre avec lui, et la pitié procède précisément de cette identification.

Les deux formes de la leçon – La morale d'*Œdipe Roi* est transmise de deux manières. C'est avant tout l'intrigue elle-même qui se charge de la dispenser. La succession des situations dramatiques, le jeu des péripéties, l'ironie tragique en disent assez long pour qu'il ne soit pas besoin d'insister, en redoublant de façon redondante l'action par le discours. Sans doute y a-t-il une autre forme de morale, tirée elle explicitement par le chœur à la fin. Mais nous verrons dans un instant que cette leçon-là est d'une autre nature, et par conséquent ne fait nullement double emploi avec celle que le spectateur déduit de l'enchaînement des actions, et en particulier du dénouement.

Instruire et plaire – Un dernier mot sur cette question : nous avons vu que le mot *catharsis** était emprunté au langage médical. D'autre part, la crainte comme la pitié sont présentées par Aristote comme des sentiments désagréables. Or, force est de constater que ce médicament déplaisant qu'est censée être la tragédie a en même temps la faculté de procurer aux spectateurs... du plaisir (faute de quoi ils n'iraient tout simplement pas la voir) ! C'est ce paradoxe qui a autorisé les commentateurs modernes à concevoir la catharsis comme un moyen de nous purger de nos passions, non par l'administration d'une leçon plutôt austère et rébarbative, mais en nous faisant vivre ces passions par procuration, le temps de la représentation tragique, de sorte que, les ayant déjà assouvies indirectement par personnages interposés dans l'enceinte du théâtre, nous n'éprouvions plus le besoin de nous y abandonner au-dehors.

Un rappel du pouvoir des dieux ?

Une leçon de mesure – C'est, à l'évidence, le principal enseignement de la pièce, et nous avons suffisamment insisté sur ce point lors de nos différents arrêts pour ne pas avoir à y revenir ici longuement : aux volontés d'émancipation d'Œdipe – « celui-qui-sait » – symbole de la rationalité triomphante (voyez comme il est fier d'avoir résolu l'énigme de la Sphinx : « c'est moi, moi seul, qui lui ferme la bouche, sans rien connaître des présages, par ma seule présence d'esprit », p. 43), répond le terrible rappel à l'ordre des dieux. Agression contre Tirésias, mépris des oracles, prétention à résoudre à lui tout seul le mystère du meurtre de Laïos... les exemples ne manquent pas, nous l'avons vu, de l'*hùbris** du héros. Résolument contre son temps, Sophocle rappellerait ses contemporains, porteurs d'un humanisme dont la contrepartie ne peut être que l'effacement du pouvoir des dieux, à davantage de modestie et de respect de la transcendance.

Un idéal de conciliation – Les choses ne sont cependant pas si simples. Si *Œdipe Roi* débouche incontestablement sur une condamnation de l'*hùbris*, considérée comme une faute, un sacrilège et un danger, y compris pour la démocratie elle-même (« la démesure enfante le tyran »), on aurait tort de n'y voir que le procès du *logos** sous toutes ses formes. Loin d'en appeler à une soumission pure et simple de l'homme aux volontés divines, Sophocle réclame simplement une prise en compte du *muthos** au sein même du *logos*, comme dans une tentative désespérée de concilier les deux, de maintenir entre eux un équilibre, précaire sans doute (d'où le tragique, selon Camus), mais nécessaire.

Une leçon de prudence

Il reste une dernière leçon, tirée, elle, nous l'avons vu, par le chœur. Cette leçon est, en réalité, double.

La précarité du bonheur – Le renversement préconisé par Aristote est d'abord celui-là : du bonheur au malheur, du triomphe à la chute. C'est pourquoi toute la première partie de la pièce est marquée par la figure du souverain tout-puissant et sûr de lui, dont l'effondrement sera par conséquent d'autant plus spectaculaire.

La suspension du jugement – Si le bonheur humain n'est jamais assuré, si tout homme, si haut qu'il soit monté, est toujours menacé de tomber, il faut alors être prudent dans son jugement, et ne pas se hâter de décider si quelqu'un (ou soi-même) est heureux ou malheureux, tant qu'il n'a pas achevé sa vie.

Œdipe, suite et fin : *Œdipe à Colone*

Environ vingt-cinq ans après *Œdipe Roi*, Sophocle consacre au héros thébain une seconde pièce, qui sera sa dernière : *Œdipe à Colone*. Nous retrouvons Œdipe à Colone, faubourg d'Athènes, mendiant aveugle et errant, guidée par sa fille, Antigone. Il demande à voir Thésée, roi de Thèbes, tandis que le chœur s'efforce de le chasser. On apprend qu'une lutte fratricide oppose les deux fils d'Œdipe, Étéocle et Polynice, pour le trône de Thèbes. Repoussé par tous, tenu pour responsable de cette guerre, Œdipe renvoie la faute aux dieux. Thésée, convaincu, accepte de le protéger. Créon et des soldats thébains emmènent de force Ismène et

Antigone, les deux filles d'Œdipe, et cherchent en vain à s'emparer de ce dernier (selon l'oracle, la cité qui accueillera sa tombe sera protégée à jamais). Thésée ramène les deux jeunes filles, ainsi que Polynice, qui vient demander assistance à son père contre son frère Étéocle. Œdipe refuse et le maudit. C'est d'Athènes qu'il deviendra le protecteur. Le tonnerre gronde, signe de l'appel favorable des dieux. On apprend que le héros a mystérieusement disparu.

La pièce, on le voit, joue de nouveau sur le renversement de situation, mais dans l'autre sens cette fois. Œdipe triomphant tombait lourdement du faîte de son pouvoir et de son bonheur, et devenait le paria de sa ville. Œdipe misérable et déchu est divinisé et devient le protecteur de la cité qui l'accueille. Comme il le dit lui-même :

« C'est donc quand je ne suis plus rien que je deviens vraiment un homme. »

à vous...

Sujet de dissertation – « Si tout est mystère, il n'y a pas tragédie. Si tout est raison non plus. » Appliquez cette formule d'Albert Camus à *Œdipe Roi* de Sophocle.

Prolongements

Sophocle, on l'aura compris, n'est pas l'inventeur d'Œdipe. Il s'inscrit lui-même dans une tradition, et de surcroît, une tradition déjà littéraire. Peut-être existe-t-il une origine sacrée, pré-littéraire, proprement mythique, de cette histoire (encore qu'en cette matière, la notion même d'origine soit très problématique), mais nous ne la connaissons pas. Pourtant, il n'est pas illégitime de prendre, avec les nuances qui s'imposent, la tragédie, ou plus exactement les tragédies (car *Œdipe à Colone* a suscité au moins autant de réécritures qu'*Œdipe Roi*) de Sophocle comme points de départ du mythe littéraire. Il y a à cela deux bonnes raisons. La première est objective : *Œdipe Roi* est la première œuvre dont nous disposions entièrement consacrée au personnage. La seconde est plus subjective : elle tient au sentiment, éprouvé à la lecture de la pièce, que l'auteur a donné à l'argument préexistant une telle force, une telle ampleur, une telle profondeur, qu'il est bien difficile de ne pas la tenir pour fondatrice. Au reste, cette situation n'est pas inédite. Nous avons du mal à ne pas considérer Molière comme le véritable créateur de Don Juan, bien que le personnage ait été inventé trente-cinq ans plus tôt par Tirso de Molina dans son *Burlador de Sevilla*. Et Faust demeure indéfectiblement attaché aux versions qu'en a données Goethe au XIXe siècle, bien que la légende remonte au Moyen Âge… En sorte que tous les Œdipe qui suivront garderont en point de mire celui du dramaturge grec, même si certains d'entre eux prendront résolument leurs distances avec le modèle.

Nous vous proposons donc à présent de suivre, sans prétendre bien sûr à l'exhaustivité, le cheminement de ce récit après l'impulsion décisive que lui a donnée Sophocle.

Œdipe à l'âge classique

Les raisons d'un succès

La tragédie, nous l'avons vu, est apparue, a connu son âge d'or, puis s'est quasiment éteinte en moins d'un siècle. À quelques exceptions près (on ne saurait oublier notamment Sénèque, à qui l'on doit un *Œdipe* au Ier siècle après Jésus-Christ), il faudra attendre la fin du XVIe siècle pour assister, en France, à la renaissance du genre. Mais quelle renaissance ! Au cours des XVIIe et XVIIIe siècles, durant cette période qu'il est convenu d'appeler « l'âge classique », parmi le nombre impressionnant de tragédies publiées – on en dénombre près de trois cents pour le seul XVIIe siècle –, Œdipe se taille la part du lion, avec pas moins de trente versions, sans parler des traductions.

À quoi est due cette remarquable postérité ? Avant tout au fait qu'auteurs comme spectateurs trouvent dans l'histoire du roi de Thèbes l'écho des principaux enjeux idéologiques de leur temps.

Les enjeux esthétiques

Œdipe Roi*, une tragédie exemplaire* – Il faut commencer par rappeler que pour les « classiques », au moins jusqu'aux années 1680 et la fameuse querelle des Anciens et des Modernes, l'Antiquité constitue la

référence indépassable, dont on peut espérer au mieux s'approcher. Or, en ce qui concerne la tragédie – le genre noble par excellence, dans lequel tout dramaturge rêve de s'illustrer –, Aristote tient l'*Œdipe Roi* de Sophocle, on s'en souvient, pour le paradigme, c'est-à-dire le modèle, à imiter. Il s'agit donc, pour nombre d'auteurs, de marcher dans les pas du maître absolu.

Œdipe Roi *et les règles classiques* – Au reste, rien ne s'oppose *a priori* à l'adaptation de la pièce au classicisme français. Le remarquable resserrement de l'intrigue y rend en effet la règle des trois unités* (de lieu, de temps, d'action) aisée à respecter. Et si la scène où Jocaste se pend et Œdipe se crève les yeux est naturellement irreprésentable en regard de la règle des bienséances (qui interdit de montrer des actions sanglantes), il paraît d'autant moins difficile de lever l'obstacle que Sophocle, là aussi, a montré la voie : il suffira de faire rapporter les événements horribles par un témoin (Arrêt sur lecture 3).

Un objet de débat – Le respect du modèle n'exclut pourtant pas les réserves et les objections, et certaines questions délicates alimentent les débats des doctes – les théoriciens de la littérature. Il en va ainsi, par exemple, du rôle du chœur. Aristote reprochait déjà à Euripide, contemporain et successeur de Sophocle, de l'avoir négligé. Au XVIIe siècle, le chœur est généralement remplacé par un personnage, le confident. Non seulement son importance s'en trouve très diminuée, mais, du coup, c'est toute la dimension collective qui tend à s'effacer au profit d'une conception plus individuelle et psychologique. Et cette substitution, on s'en doute, ne va pas sans contestations. Le chœur sera d'ailleurs réintroduit dans certaines versions d'*Œdipe* au XVIIIe siècle, comme chez Voltaire.

Les enjeux politiques

Il faut y insister encore une fois : *Œdipe Roi*, comme toutes les tragédies grecques, est une **pièce politique**. Or, si le contexte du XVIIe siècle puis du XVIIIe siècle, où l'on assiste à l'installation de la monarchie absolue, puis à sa remise en cause, n'est pas du tout le même que celui du Ve siècle avant Jésus-Christ, qui, lui, voit naître la démocratie, la pièce n'en demeure pas moins une source féconde de réflexions sur la souveraineté.

Dieu, roi, père... – Telle est la trinité autour de laquelle s'organise tout le système de la monarchie absolue. Le théâtre du XVIIe – tragédie et comédie confondues – a maintes fois traité de la défaillance du père, assimilée, par sous-entendu, à celle du roi. Or, ces trois instances paternelles (Dieu, le père de tous les hommes, dont le roi, père de ses sujets, parmi lesquels le père « privé », chef de la famille), qui s'engendrent et se renforcent l'une l'autre, se trouvent dès l'origine au cœur du mythe et de la tragédie : Laïos, père infanticide... Œdipe, fils-père incestueux... Étéocle et Polynice maudits par leur père dans *Œdipe à Colone*... Le thème, on le voit, est central, et certains dramaturges classiques n'hésiteront pas à l'amplifier.

Un souverain en quête de légitimité – Plus largement, l'histoire d'Œdipe est l'occasion d'une interrogation sur le fondement et la nature de l'autorité politique. Nous avons vu comment le protecteur de la cité tendait presque nécessairement à se transformer en oppresseur : alors, face à Œdipe, roi tyrannique, orgueilleux et égocentrique, se dressait la figure généreuse, mesurée et magnanime de Créon. D'ailleurs, si l'enquête menée par le héros prend la forme, sur le plan individuel et psychologique, d'une quête d'identité, elle constitue bien également, sur le plan collectif et politique, une recherche de légitimité.

Et là encore, nous retrouvons des résonances de la pensée et de la vie politiques de l'époque, que ce soit à travers la rivalité entre l'aristocratie et le souverain (la Fronde, révolte d'une partie de la noblesse contre Mazarin et le roi, s'achève en 1652, sept ans seulement avant l'*Œdipe* de Corneille), ou dans la promesse d'un nouveau type de relation entre le monarque et ses sujets, incarnée par le jeune Louis XIV, ou encore, un siècle plus tard, par ceux qu'on a appelés les « despotes éclairés ».

Les enjeux religieux

On ne saurait oublier enfin l'arrière-plan religieux. Le mythe comme la tragédie posent la question de la faute et de la responsabilité, problématique on ne peut plus obsédante à l'âge classique. À cet égard, on peut d'ailleurs constater que la transposition de l'histoire d'Œdipe dans l'univers chrétien n'a guère présenté de difficultés.

Œdipe en croix – C'est ainsi que le sacrifice d'Œdipe, bouc émissaire chargé, en somme, de racheter les fautes de la cité, autorisera dans certains cas une identification du roi de Thèbes à Jésus-Christ lui-même, sauveur et rédempteur de l'humanité. Identification limitée cependant, puisque le Christ est lui absolument pur et innocent, à l'image de son symbole – l'agneau –, ce qui est tout de même plus difficile à admettre en ce qui concerne Œdipe.

La question de la grâce et de la liberté – Mais il y a plus intéressant. Les remarques que nous avons faites précédemment au sujet de la liberté et de la responsabilité restent valables dans une optique chrétienne : la culpabilité éventuelle d'Œdipe suppose son libre arbitre. Mais le libre arbitre suppose à son tour la possibilité d'un rachat. Autrement dit, si l'homme peut être tenu pour responsable de ses mauvaises actions, il peut et doit l'être également des bonnes. Nous allons voir dans un instant, à propos de la pièce de Corneille, qu'il s'agit là d'un enjeu décisif des polémiques religieuses au XVIIe siècle.

Œdipe libre penseur – Enfin, dans une optique plus irréligieuse, certains n'hésiteront pas à renforcer le thème de la prédestination (que Sophocle avait précisément gommé), dans le but non seulement d'excuser Œdipe, mais même de mettre purement et simplement en accusation les dieux (Dieu), ou leurs représentants (les prêtres), les uns suspects de vouloir le mal qui arrive, les autres d'en exploiter à leur profit la menace et les conséquences : ce sera, on ne s'en étonnera pas, le point de vue de Voltaire.

1. *Œdipe* de Corneille

Le retour du maître

Nous sommes en 1659. Depuis sa première pièce, *Mélite*, une comédie écrite trente ans plus tôt (il avait alors vingt-trois ans), Corneille a fait du chemin. Si une tragi-comédie*, *Le Cid*, l'a rendu célèbre en 1636, ce sont ses tragédies – *Horace*, *Cinna*, *Polyeucte*, *Nicomède*... – qui ont fait de lui le maître incontesté du théâtre français en cette première moitié du siècle.

Élu à l'Académie française en 1647, sa gloire est immense, et cha-

cune de ses pièces est un triomphe, jusqu'à *Pertharite*, en 1651, qui connaît un relatif échec. Vexé, et conscient peut-être qu'il est en train de passer de mode, Corneille se retire ombrageusement et délaisse le théâtre durant sept années. C'est à l'instigation de Fouquet, le puissant et richissime surintendant des Finances, grand protecteur des Arts et des Lettres, qu'il fait son retour en 1659 avec *Œdipe*. Ce contexte est capital : vainqueur de la Fronde, Louis XIV est sur le point d'affirmer son pouvoir et de prendre seul les rênes du royaume ; deux ans plus tard, son premier acte d'indépendance sera la condamnation de ce même Fouquet qui lui fait de l'ombre. Or, à bien des égards, la tragédie de Cor neille se veut une sorte de manuel à l'usage du jeune roi.

Résumé de la pièce

La peste ravage Thèbes. Dircé, fille de la reine Jocaste et de l'ancien roi Laïus, aime Thésée, prince d'Athènes, mais Œdipe, l'actuel roi, qui l'a déjà promise à Hémon, fils de Créon et neveu de Jocaste, s'oppose à leur union.

Les dieux restant muets, le devin Tirésie est consulté : celui-ci fait apparaître le fantôme de Laïus, qui révèle que son assassinat impuni est cause des malheurs de la cité. Seul le sang d'une victime « de sa race » pourra laver la souillure. Dircé paraît désignée. Elle consent et se prépare à la mort.

Cependant Œdipe, troublé par les propos mystérieux de Phorbas, le serviteur qui accompagnait Laïus lorsqu'il fut assassiné, diffère le sacrifice. Dans l'espoir de sauver Dircé malgré elle, Thésée se rend auprès de Jocaste, et se présente à elle comme son fils (ainsi que celui de Laïus) ; mais il nie le meurtre du roi.

Interrogé par Jocaste, puis par Œdipe, Phorbas révèle que c'est ce dernier qui a tué Laïus. Un messager de Corinthe, Iphicrate, vient alors annoncer la mort de Polybe. Il apprend également à Œdipe la vérité sur sa naissance. La confrontation entre Iphicrate et Phorbas, à qui il avait confié l'enfant plutôt que de l'exposer aux bêtes sauvages comme il en avait reçu l'ordre, achève de faire éclater la vérité. Nérine, dame d'honneur de Jocaste, vient rapporter la nouvelle du suicide de la reine. Puis c'est au tour de Dymas, confident d'Œdipe, de faire le récit de sa mutilation.

Corneille ne s'est pas contenté d'adapter fidèlement la tragédie de Sophocle. En inventant le couple Thésée-Dircé, il modifie sa tonalité et infléchit son sens. D'une part, la structure dramatique si particulière de *Œdipe Roi*, qui l'apparentait à une enquête policière, avec son rythme propre (cette alternance de coups de théâtre et de retardements) disparaît pour l'essentiel. D'autre part, l'intrigue amoureuse vient au premier plan, détournant en partie l'attention du spectateur du destin du roi de Thèbes. C'est également l'occasion pour Corneille de mettre en avant le thème de la paternité d'Œdipe, qui n'apparaissait pratiquement pas chez Sophocle : en s'opposant, pour des raisons politiques (crainte du pouvoir exorbitant de Thésée), aux désirs de sa (belle-) fille, le roi de Thèbes rejoint ainsi la cohorte des pères tyranniques et égocentriques qui peuplent le théâtre classique français. Enfin, le personnage de Thésée, héros positif, prince et futur souverain exemplaire, reprend en l'accentuant la figure de Créon.

D'une façon plus générale, la signification de la pièce réside principalement dans l'éloge du **sacrifice** : celui de Dircé, prête à mourir pour Thèbes et pour Thésée; celui de Thésée, qui tente en retour de prendre la place de celle qu'il aime en se faisant passer pour le fils de Laïus; celui d'Œdipe enfin, qui assume des crimes dont il ne semble pourtant pas réellement coupable, afin de délivrer la cité du fléau. Or, qu'est-ce que le sacrifice pour Corneille sinon la plus haute, la plus admirable manifestation de la grandeur de l'homme, de sa liberté et de sa capacité à construire son propre destin ?

Extrait

«

JOCASTE

C'était là de mon fils la noire destinée :
Sa vie à ces forfaits par le ciel condamnée
N'a pu se dégager de cet astre ennemi,
Ni de son ascendant s'échapper à demi.
Si ce fils vit encore, il a tué son père :

C'en est l'indubitable et le seul caractère ;
Et le ciel, qui prit soin de nous en avertir,
L'a dit trop hautement pour se voir démentir.
Sa mort seule pouvait le dérober au crime.
Prince, renoncez donc à toute votre estime :
Dites que vos vertus sont crimes déguisés,
Recevez tout le sort que vous vous imposez,
Et pour remplir un nom dont vous êtes avide,
Acceptez ceux d'inceste et de fils parricide.
J'en croirai ces témoins que le ciel m'a prescrits,
Et ne vous puis donner mon aveu qu'à ce prix.

THÉSÉE

Quoi ? la nécessité des vertus et des vices
D'un astre impérieux doit suivre les caprices,
Et Delphes, malgré nous, conduit nos actions
Au plus bizarre effet de ses prédictions ?
L'âme est donc toute esclave : une loi souveraine
Vers le bien ou le mal incessamment l'entraîne,
Et nous ne recevons ni crainte ni désir
De cette liberté qui n'a rien à choisir,
Attachés sans relâche à cet ordre sublime,
Vertueux sans mérite, et vicieux sans crime.
Qu'on massacre les rois, qu'on brise les autels,
C'est la faute des Dieux, et non pas des mortels.
De toute la vertu sur la terre épandue,
Tout le prix à ces dieux, toute la gloire est due ;
Ils agissent en nous quand nous pensons agir ;
Alors qu'on délibère on ne fait qu'obéir ;
Et notre volonté n'aime, hait, cherche, évite,
Que suivant que d'en haut leur bras la précipite.
D'un tel aveuglement daignez me dispenser.
Le ciel, juste à punir, juste à récompenser,
Pour rendre aux actions leur peine ou leur salaire,
Doit nous offrir son aide, et puis nous laisser faire.

N'enfonçons toutefois ni votre œil ni le mien
Dans ce profond abîme où nous ne voyons rien :
Delphes a pu vous faire une fausse réponse,
L'argent put inspirer la voix qui les prononce,
Cet organe des Dieux put se laisser gagner
À ceux que ma naissance éloignait de régner,
Et par tous les climats on n'a que trop d'exemples
Qu'il est ainsi qu'ailleurs des méchants dans les temples.
Du moins puis-je assurer que dans tous mes combats
Je n'ai jamais souffert de seconds que mon bras,
Que je n'ai jamais vu ces lieux de la Phocide
Où fut par des brigands commis ce parricide,
Que la fatalité des plus pressants malheurs
Ne m'aurait pu réduire à suivre des voleurs,
Que j'en ai trop puni pour en croître le nombre...

JOCASTE

Mais Laïus a parlé, vous en avez vu l'ombre :
De l'oracle avec elle on voit tant de rapport
Qu'on ne peut qu'à ce fils en imputer la mort,
Et c'est le dire assez qu'ordonner qu'on efface
Un grand crime impuni par le sang de sa race.
Attendons toutefois ce qu'en dira Phorbas :
Autre que lui n'a vu ce malheureux trépas,
Et de ce témoin seul dépend la connaissance
Et de ce parricide et de votre naissance.
Si vous êtes coupable, évitez-en les yeux,
Et de peur d'en rougir, prenez d'autres aïeux.

THÉSÉE

Je le verrai, Madame, et sans inquiétude.
Ma naissance confuse a quelque incertitude,
Mais pour ce parricide, il est plus que certain
Que ce ne fut jamais un crime de ma main. »

Acte III, scène 5.

Pistes de lecture

Cette tirade de Thésée, fort célèbre au demeurant, n'a guère d'utilité pour l'intrigue proprement dite. Elle se présente comme un discours théorique, une pièce rapportée, à verser au volumineux dossier des querelles religieuses du temps. Corneille intervient ici en effet dans un débat présent dès l'origine au cœur du christianisme, mais qui connaît alors un regain de virulence : il s'agit du problème de la grâce.

Sommairement, deux thèses sont en présence : d'un côté, les tenants de la grâce suffisante considèrent que l'homme, être fondamentalement libre et responsable, peut faire son salut, c'est-à-dire gagner son paradis, accéder à la vie éternelle, par ses œuvres : ses bonnes actions, ou, si l'on veut, son mérite. C'est la doctrine des **Jésuites** élaborée par la Compagnie de Jésus, ordre fondé en 1540 par le moine espagnol Ignace de Loyola, et chargé par le pape dès 1560 de mettre en œuvre la Contre-Réforme, c'est-à-dire d'entreprendre la reconquête des fidèles, en réaction contre le protestantisme.

De l'autre côté, les **Jansénistes**, du nom du théologien hollandais Jansénius (1585-1638), continuateurs de la pensée de saint Augustin (354-430) et, par certains aspects, du protestantisme, sont cependant soucieux de demeurer au sein de l'Église catholique, qu'ils préfèrent critiquer de l'intérieur. À la **grâce suffisante** des Jésuites, ceux-ci opposent la notion de **grâce efficace** : créature fondamentalement pécheresse (souillée irréversiblement par le péché originel), gouvernée par ses instincts, ses passions, l'homme, selon eux, ne saurait se sauver par ses propres forces. Seul Dieu peut décider, en tout arbitraire, d'accorder sa grâce à quelques élus. Ce sont donc deux visions de la nature humaine qui s'opposent : l'une optimiste (affirmation du libre arbitre), l'autre pessimiste (force irrépressible des passions). Les Jésuites reprochent aux Jansénistes de désespérer les fidèles, les Jansénistes accusent les Jésuites de limiter la toute-puissance divine.

Comme on le voit, Corneille, en bon disciple de la Compagnie de Jésus, fait tenir ici à Thésée un discours résolument favorable à la thèse de la liberté humaine.

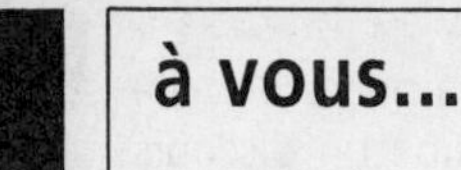

à vous...

1 – Dans la tragédie classique, les monologues ou les tirades ont généralement un caractère fortement rhétorique*. C'est encore plus vrai lorsque nous sommes en présence, comme dans cet extrait, d'un discours de type argumentatif.

***a* – Dégagez la structure de la tirade de Thésée. Quelle est la stratégie argumentative adoptée ?**

***b* – Quelles sont la nature et la fonction des interrogations initiales ?**

***c* – « Et Delphes, malgré nous, conduit nos actions » : à quelle figure de style avons-nous affaire ici ?**

***d* – Relevez des formules frappantes par leur construction (parallélisme, antithèse*, répétition...).**

2 – Montrez comment Thésée développe successivement deux arguments d'ordre différent. Justifiez ce changement d'optique.

3 – Bien qu'il paraisse quelque peu artificiel, ce discours s'inscrit tout de même dans la logique de l'intrigue : Thésée vient d'annoncer à Jocaste qu'il était son fils, et par conséquent que c'était à lui, et non à Dircé, de mourir pour laver la faute de la cité et la délivrer de la peste. Le sacrifice de Thésée a pourtant ici des limites : lesquelles ? Qu'en pensez-vous ?

2. *Œdipe* de Voltaire

La première pièce d'un jeune auteur

Si l'*Œdipe* de Corneille est l'œuvre d'un auteur vieillissant, tel n'est pas le cas de celui de Voltaire. En 1718, celui qui n'est encore que François Marie Arouet a vingt-quatre ans, et ne s'est guère fait connaître que par quelques textes pamphlétaires qui lui ont valu un séjour à la Bastille et six mois d'exil, les premiers d'une longue série. Pour un coup d'essai, c'est un coup de maître . la pièce est un triomphe, et vaut à son auteur, outre une pension du Régent (visé pourtant par la pièce), une célébrité immédiate, due en particulier aux violentes polémiques qu'elle suscite.

Au reste, le jeune dramaturge, qui ne doute de rien, s'inscrit explicitement dans la continuité de Sophocle et de Corneille, auxquels il rend dans la Préface un hommage non dénué de critiques.

Résumé de la pièce

Philoctète, prince d'Eubée, arrive à Thèbes, où la peste sévit. Il apprend que le roi Laïus a été assassiné quatre ans plus tôt, nouvelle qui le remplit d'espoir car il est depuis longtemps épris de la reine Jocaste. Mais celle-ci a épousé Œdipe, qui est monté sur le trône après avoir sauvé la ville de la Sphinx. Au chœur qui se lamente, ainsi qu'au roi sorti de son palais, le Grand Prêtre vient porter le message des dieux : le spectre de Laïus a parlé, et réclamé le châtiment de son assassin pour prix du salut de la ville. Œdipe s'engage à trouver et à punir le coupable.

Bientôt, le peuple accuse Philoctète du crime, auquel sa haine de Laïus le poussait naturellement. Jocaste le défend, et avoue à sa confidente qu'elle n'a jamais aimé que lui. Devant la reine, puis face à Œdipe, Philoctète nie farouchement être le meurtrier.

Le Grand Prêtre vient alors révéler le nom du coupable : Œdipe. Celui-ci, furieux, chasse son accusateur, qui se retire en proférant d'obscures menaces au sujet de la naissance du roi.

Jocaste, à qui Œdipe confie son inquiétude, révèle la prophétie et la mise à mort de son fils. À son tour, Œdipe raconte sa consultation de l'oracle, puis sa fuite et sa fatale querelle avec des voyageurs. Le témoignage de Phorbas confirme ce que le roi et la reine ont déjà commencé à soupçonner : c'est bien Œdipe qui a tué Laïus.

Comme le roi annonce qu'il s'exile et confie le trône à Philoctète, Icare, un messager corinthien, vient apporter la nouvelle de la mort de Polybe, et révèle qu'Œdipe n'était pas son fils : lui-même l'a recueilli jadis des mains d'un Thébain qui avait reçu l'ordre de le mettre à mort. Ce Thébain, c'était Phorbas qui confirme le récit d'Icare, et avoue qu'Œdipe est le fils de Laïus. Le Grand Prêtre vient annoncer à Jocaste que son fils et époux s'est enfoncé une épée dans les yeux. À cette nouvelle, Jocaste se tue en maudissant les dieux.

On voit tout ce que Voltaire doit à ses illustres prédécesseurs. Si certaines scènes sont directement reprises de Sophocle, le jeune dramaturge a également mis ses pas dans ceux de Corneille, même si c'est dans une optique différente. À l'intrigue amoureuse entre Dircé et Thésée répond celle de Jocaste et Philoctète. Ce dernier, idéal de noblesse, de sagesse et de générosité, fait pendant à Thésée : ainsi, comme celle de Corneille, la pièce de Voltaire abonde en conseils au(x) roi(s), et dessine les traits d'un souverain plus humain, plus simple, plus moral, soucieux du bonheur de son peuple plutôt qu'intéressé à ses propres plaisirs. Plus tard, Voltaire croira trouver chez Frédéric II de Prusse l'incarnation de cet idéal. Mais c'est là encore sur le plan religieux que se situent les principaux enjeux de la pièce.

Extraits

« ARASPE

Tandis que par vos soins vous pouvez tout apprendre,
Quel besoin que le ciel ici se fasse entendre ?
Ces dieux dont le pontife a promis le secours,
Dans leurs temples, seigneur, n'habitent pas toujours ;
On ne voit point leur bras si prodigue en miracles ;
Ces antres, ces trépieds, qui rendent leurs oracles,
Ces organes d'airain que nos mains ont formés,
Toujours d'un souffle pur ne sont pas animés.
Ne nous endormons point sur la foi de leurs prêtres ;
Au pied du sanctuaire il est souvent des traîtres
Qui, nous asservissant sous un pouvoir sacré,
Font parler les destins, les font taire à leur gré.
Voyez, examinez avec un soin extrême
Philoctète, Phorbas, et Jocaste elle-même.
Ne nous fions qu'à nous, voyons tout par nos yeux ;
Ce sont là nos trépieds, nos oracles, nos dieux.

ŒDIPE

Serait-il dans le temple un cœur assez perfide ?...

Non, si le ciel enfin de nos destins décide,
On ne le verra point mettre en d'indignes mains
Le dépôt précieux du salut des Thébains.
Je vais, je vais moi-même, accusant leur silence,
Par mes vœux redoublés fléchir leur inclémence. »

Acte II, scène 5.

« ŒDIPE

Ces derniers mots me rendent immobile.
Je ne sais où je suis, ma fureur est tranquille :
Il me semble qu'un dieu descendu parmi nous,
Maître de mes transports, enchaîne mon courroux,
Et prêtant au pontife une force divine,
Par sa terrible voix m'annonce ma ruine.

PHILOCTÈTE

Si vous n'aviez, seigneur, à craindre que des rois,
Philoctète avec vous combattrait sous vos lois;
Mais un prêtre est ici d'autant plus redoutable
Qu'il vous perce à nos yeux par un trait respectable.
Fortement appuyé sur des oracles vains,
Un pontife est souvent terrible aux souverains;
Et dans son zèle aveugle un peuple opiniâtre,
De ses liens sacrés imbécile idolâtre,
Foulant par piété les plus saintes des lois,
Croit honorer les dieux en trahissant ses rois,
Surtout quand l'intérêt, père de la licence,
Vient de leur zèle impie enhardir l'insolence. »

Acte III, scène 5.

« ŒDIPE, *seul*

Le voilà donc rempli, cet oracle exécrable
Dont ma crainte a pressé l'effet inévitable;

Et je me vois enfin, par un mélange affreux,
Inceste, et parricide, et pourtant vertueux.
Misérable vertu, nom stérile et funeste,
Toi par qui j'ai réglé des jours que je déteste,
À mon noir ascendant tu n'as pu résister :
Je tombais dans le piège en voulant l'éviter.
Un dieu plus fort que toi m'entraînait vers le crime :
Sous mes pas fugitifs il creusait un abîme;
Et j'étais, malgré moi, dans mon aveuglement,
D'un pouvoir inconnu l'esclave et l'instrument.
Voilà tous mes forfaits, je n'en connais point d'autres.
Impitoyables dieux, mes crimes sont les vôtres,
Et vous m'en punissez... Où suis-je ? Quelle nuit
Couvre d'un voile affreux la clarté qui nous luit ?
Ces murs sont teints de sang; je vois les Euménides
Secouer leurs flambeaux vengeurs des parricides.
Le tonnerre en éclats semble fondre sur moi;
L'enfer s'ouvre... Ô Laïus, ô mon père ! Est-ce toi ?
Je vois, je reconnais la blessure mortelle
Que te fit dans le flanc cette main criminelle.
Punis-moi, venge-toi d'un monstre détesté,
D'un monstre qui souilla les flancs qui l'ont porté.
Approche, entraîne-moi dans les demeures sombres,
J'irai de mon supplice épouvanter les ombres.
Viens, je te suis. »

Acte III, scène 4.

« JOCASTE

Quels éclats ! ciel ! où suis-je ? Et qu'est-ce que j'entends ?
Barbares !...

LE GRAND PRÊTRE

C'en est fait, et les dieux sont contents.
Laïus du sein des morts cesse de vous poursuivre.
Il vous permet encor de régner et de vivre;

Le sang d'Œdipe enfin suffit à son courroux.

LE CHŒUR

Dieux !

JOCASTE

Ô mon fils ! hélas ! dirai-je mon époux ?
Ô des noms les plus chers assemblage effroyable !
Il est donc mort ?

LE GRAND PRÊTRE

Il vit, et le sort qui l'accable
Des morts et des vivants semble le séparer ;
Il s'est privé du jour avant que d'expirer.
Je l'ai vu dans ses yeux enfoncer cette épée
Qui du sang de son père avait été trempée ;
Il a rempli son sort, et ce moment fatal
Du salut des Thébains est le premier signal.
Tel est l'ordre du ciel, dont la fureur se lasse ;
Comme il veut, aux mortels il fait justice ou grâce ;
Ses traits sont épuisés sur ce malheureux fils.
Vivez, il vous pardonne.

JOCASTE

Et moi, je me punis.

Elle se frappe.

Par un pouvoir affreux réservée à l'inceste,
La mort est le seul bien, le seul dieu qui me reste.
Laïus, reçois mon sang, je te suis chez les morts :
J'ai vécu vertueuse, et je meurs sans remords.

LE CHŒUR

Ô malheureuse reine ! ô destin que j'abhorre !

JOCASTE

Ne plaignez que mon fils, puisqu'il respire encore.
Prêtres, et vous Thébains, qui fûtes mes sujets,
Honorez mon bûcher, et songez à jamais
Qu'au milieu des horreurs du destin qui m'opprime,
J'ai fait rougir les dieux qui m'ont forcée au crime. »

Acte V, scène 6.

Pistes de lecture

Plus diffus, le propos de Voltaire est également beaucoup plus radical que celui de Corneille. Le discours d'Araste (qui n'est certes qu'un confident, mais ses propos ne choquent pas particulièrement Œdipe) n'est pas seulement un réquisitoire contre le pouvoir exorbitant du clergé. Il suggère le caractère superstitieux de toute religion et semble bien plaider – annonçant en cela l'esprit des Lumières – pour l'observation et la raison, autant dire la science : « Ne nous fions qu'à nous, voyons tout par nos yeux. »

Par ailleurs, on retrouve chez Voltaire la tendance observée chez Corneille à atténuer, voire à effacer purement et simplement la faute du héros. En ce qui concerne le parricide, Œdipe est convaincu d'avoir tué des brigands (il a donc agi noblement). Quant à l'inceste, on peut dire qu'il se trouve édulcoré dans les deux pièces par l'introduction d'une histoire d'amour qui vient en quelque sorte le recouvrir et l'occulter : c'est particulièrement vrai chez Voltaire, où la relation de Jocaste avec Philoctète banalise finalement son union « monstrueuse » avec Œdipe. Le « couple maudit » est d'ailleurs convaincu jusqu'au bout de son innocence et de sa vertu : « Inceste et parricide et pourtant vertueux », dit Œdipe ; « j'ai vécu vertueuse et je meurs sans remords », déclare Jocaste.

Plus largement, il s'agit toujours de présenter Œdipe, et même Jocaste, comme victime(s) de l'arbitraire divin. La fin tragique constitue donc non pas, comme chez Sophocle, un rappel de la juste puissance des dieux, mais plutôt la preuve de leur scandaleuse cruauté. D'où ce dernier vers sans ambiguïté : « J'ai fait rougir les dieux qui m'ont forcée au crime. » On retrouve bien sûr ici la critique de la doctrine janséniste de la prédestination (« Comme il veut, aux mortels, il fait justice ou grâce »). Mais là où Corneille prônait tout de même une certaine forme de religion, Voltaire est bien près d'affirmer des opinions de libre penseur, opinions que l'on devine dans les paroles d'Araspe comme dans celles de Philoctète : cela deviendra, on le sait, l'un des thèmes favoris de l'auteur, pour ne pas dire son obsession. Notons tout de même qu'il reste ici fort prudent, et se limite à un anticléricalisme somme toute tolérable. Après tout, chez Sophocle déjà, Jocaste et Œdipe proféraient des propos impies, et rien ne permettait de penser que l'auteur y adhérait. Et le Grand Prêtre, dont le pouvoir a de quoi effrayer, n'en dit pas moins la vérité, à l'instar de Tirésias.

à vous...

1 – En quoi l'argumentation d'Araspe, puis celle de Philoctète rappellent-elles celle de Thésée ? Montrez que la critique va cependant plus loin ici.

2 – Quelle est la composition du monologue d'Œdipe ?

3 – Chaque partie repose sur une antithèse*. Laquelle ?

4 – En quoi la mutilation d'Œdipe diffère-t-elle ici de celle d'*Œdipe Roi*. Justifiez cette transposition.

5 – Comparez le suicide de Jocaste dans les deux pièces. Qu'en pensez-vous ?

Conclusion

L'importance quantitative des reprises de l'histoire d'Œdipe à l'âge classique, le fait que les plus grands auteurs s'y soient, à des degrés divers, confrontés – la *Thébaïde* de Racine traite indirectement le sujet –, l'incontestable succès que connurent ces adaptations, tout cela ne doit pas nous dissimuler la réalité : les œuvres en question souffrent mal la comparaison avec celle de Sophocle. D'une certaine façon, l'appauvrissement du mythe et de la tragédie a déjà commencé. En effet, la volonté, commune à Corneille et à Voltaire, de condamner la doctrine de la prédestination et d'affirmer la liberté humaine passe soit par un **renforcement de la fatalité**, soit par un **adoucissement de la faute**. Dans les deux cas, c'est évidemment une bonne part de la dimension tragique qui est perdue. Et cette tendance, nous allons le voir, se confirmera par la suite, en particulier au xxe siècle.

Œdipe au XXe siècle

On ne saurait prétendre qu'Œdipe ait disparu de la scène au cours du XIXe siècle. Il n'a cessé, en réalité, d'inspirer les peintres, les musiciens, et les écrivains bien sûr... Il n'en reste pas moins qu'un certain reflux s'observe par rapport à l'âge d'or du XVIIe siècle. C'est que les dramaturges romantiques, dans leur volonté de rompre avec l'esthétique classique, n'ont pas seulement renouvelé les formes théâtrales, ils ont également cherché d'autres sujets, qu'ils ont trouvés plus volontiers dans l'histoire nationale, plus récente, que dans l'Antiquité. Cette explication est à nuancer toutefois : les romantiques allemands ont été fascinés par le modèle grec, et l'on doit à Hölderlin, ou plus tard à Nietzsche, des réflexions pénétrantes sur Eschyle, Sophocle et Euripide. Mais c'est plutôt à la fin du XIXe et surtout au début du XXe que le destin du roi de Thèbes va connaître un regain d'intérêt du point de vue artistique et, nous le verrons dans la partie suivante, dans les sciences humaines.

Les raisons d'un retour

La vogue de l'Antique

Au cours de la première moitié du XXe siècle, le théâtre français a largement puisé dans le fonds des mythes, légendes et tragédies antiques. Durant cette période, il n'est guère d'auteur dramatique qui ne se soit confronté au moins une fois à l'une ou l'autre des pièces d'Eschyle, de Sophocle ou d'Euripide, ou n'ait entrepris d'actualiser un mythe grec. Citons, parmi les œuvres les plus célèbres, *Prométhée mal enchaîné* (1899) et *Œdipe* (1931) d'André Gide ; *Orphée* (1925) et *La Machine infernale* (1934) de Jean Cocteau ; *Eurydice* (1942), *Antigone* (1944) et *Œdipe* (1978) de Jean Anouilh ; *Les Mouches* (1943) de Jean-Paul Sartre ; sans oublier *Amphitryon 38* (1929), *La guerre de Troie n'aura pas lieu* (1935) et *Électre* (1937) de Jean Giraudoux...

Cette inspiration ne se limite d'ailleurs pas à la littérature. Elle est, en particulier dès la fin du siècle précédent, la source de nombreuses œuvres musicales ou lyriques ; ainsi, pour nous borner à la seule histoire d'Œdipe : *Œdipe à Colone* de Félix Mendelssohn-Bartholdy (1845), *Œdipe Roi* de Moussorgski (1860), *Œdipe Roi* de Ruggero Leoncavallo (1920), *Œdipus Rex* d'Igor Stravinski (1927), ou *Œdipe* de George Enesco (1936)... Et l'on sait combien ces références sont également présentes dans la peinture symboliste (Gustave Moreau) ou surréaliste (Max Ernst, André Masson), ou encore chez Picasso.

On ne peut nier qu'il y ait eu là un phénomène de mode. Ainsi, pour en revenir au théâtre, si le mouvement, initié par Cocteau et Gide, fut poursuivi avec une telle insistance jusqu'à la fin des années cinquante, ce fut sans doute en partie par l'effet d'une sorte d'émulation, pour ne pas dire de rivalité, qui renouait somme toute, mais sans l'avouer, avec l'esprit de compétition des concours antiques !

Théâtre tragique pour temps tragiques

On ne saurait cependant se contenter de cette explication. Le contexte historique a sans doute joué un rôle important dans l'émergence et l'ampleur du phénomène.

Il était au fond assez naturel que le genre tragique apparaisse à beaucoup d'auteurs comme le plus propre à traduire les interrogations et les angoisses d'une époque – celle de l'entre-deux-guerres –, marquée à la fois par le souvenir encore très vif de la boucherie de 14-18 et par l'approche, ressentie comme inéluctable, d'un nouveau conflit. Lorsque en

Œdipe et le Sphinx, par le peintre symboliste Gustave Moreau (1826-1898), exposé au Salon de 1869. En quoi cette représentation diffère-t-elle de celle de la page 7 ?

1934, Jean Giraudoux écrit *La guerre de Troie n'aura pas lieu*, il n'ignore pas que cette prédiction s'est révélée fausse et que la guerre de Troie... a bien eu lieu ! Et la montée des totalitarismes ne pouvait que rendre toute leur actualité à des sujets qui, nous l'avons vu, traitent directement de ces questions.

N'oublions pas non plus qu'entre 1940 et 1945, durant les années d'Occupation, le passage par l'adaptation d'œuvres canoniques, à la fois très anciennes et universellement reconnues, a pu permettre de masquer, derrière l'« exotisme » du contexte et l'énigme de la parabole*, la portée réelle du message : ainsi la fameuse transposition de la légende des Atrides par Jean-Paul Sartre dans *Les Mouches* (1943), qui dut sans doute à sa forme symbolique d'échapper à la censure, ou encore l'*Antigone* de Jean Anouilh (1944), pièce on ne peut plus ambiguë que son auteur sut faire passer, successivement, pour un appel à la collaboration, puis un hymne à la résistance !

L'homme contre l'Homme, ou le tragique de l'Absurde

Plus profondément encore, le temps était peut-être propice au retour du tragique, au sens où l'entend Albert Camus dans cette Conférence d'Athènes déjà citée (Bilans). S'interrogeant sur une éventuelle renaissance de la tragédie, l'auteur croit retrouver dans le monde contemporain (nous sommes en 1955) le conflit entre l'ordre divin et l'ordre humain qui est, selon lui, nous l'avons vu, la condition de l'épanouissement du genre. Mais paradoxalement, le dieu contre lequel désormais se révolte l'homme n'est plus l'être transcendant que désigne généralement ce mot, mais l'Homme lui-même, glorifié, sacralisé, déifié dans l'univers profane qui est devenu le nôtre.

« Après avoir fait un dieu du règne humain, l'homme se retourne à nouveau contre ce dieu. Il est en contestation, à la fois combattant et dérouté, partagé entre l'espoir absolu et le doute définitif. Il vit donc dans un climat tragique. Ceci explique peut-être que la tragédie veuille renaître. L'homme d'aujourd'hui qui crie sa révolte en sachant que cette révolte a des limites, qui exige la liberté et subit la nécessité, cet homme contradictoire, déchiré, désormais conscient de l'ambiguïté de l'homme et de son histoire, cet homme est l'homme tragique par excellence. »

Albert Camus, « Sur l'avenir de la tragédie »
in *Théâtre, récits, nouvelles*, Gallimard,
coll. « Bibliothèque de la Pléiade ».

Dès lors, tandis que le mythe et la tragédie étaient censés instruire, donner une leçon, véhiculer une morale, la tragédie du XXe siècle témoigne au contraire de la **perte du sens**, autrement dit de l'Absurde, dans un monde sans dieu, sans point de repère, où l'homme est condamné à se révolter contre lui-même, dans un geste aussi désespéré que dépourvu de signification, comme du reste le châtiment qui découle de cette vaine révolte.

Œdipe après l'Absurde

Passé cette période particulièrement riche, le personnage d'Œdipe a continué de susciter des œuvres, théâtrales, mais aussi romanesques et cinématographiques, mais de loin en loin, de manière plus diffuse et discontinue. Si, curieusement, les auteurs du début de siècle semblent avoir été relativement peu influencés, dans leurs transpositions, par les sciences humaines (exceptée peut-être la psychanalyse, et encore), on ne saurait en dire autant de ceux qui ont suivi ; nous le constaterons à propos de l'*Œdipe roi* du cinéaste italien Pier Paolo Pasolini, ou de l'*Œdipe sur la route* du romancier belge Henry Bauchau.

Parfois, le mythe n'apparaît plus qu'en filigrane, de manière allusive, comme un arrière-plan invisible qui structure néanmoins le récit et lui confère une signification secrète, comme dans *Les Gommes*, d'Alain Robbe-Grillet, en 1953, ou *L'Emploi du temps* de Michel Butor, en 1956.

Signalons enfin qu'en 1994, un *Œdipe Roi* romancé a été publié dans la fameuse Série noire, « traduit du mythe » par Didier Lamaison. C'était rappeler, non sans humour, que Sophocle n'était pas seulement l'un des inventeurs de la tragédie, mais également le précurseur d'un genre qui devait connaître beaucoup plus tard le succès que l'on sait : le récit policier.

Le grand acteur Mounet-Sully dans le rôle d'Œdipe, par le dessinateur Capielle Leonetto (1875-1942), dans le style Art nouveau. Selon vous, à quel épisode de la pièce renvoie cette illustration ?

« En cette époque troublée, tout ce qui fait le malheur de l'homme courait par les portes battantes de Thèbes : le soupçon et la médisance, l'ignorance et la peur, la maladie et la mort. Le crime, même.

Une seule porte semblait à jamais condamnée : la porte de l'Espérance.

Or, un soir, cette porte s'ouvrit.

Et un homme entra.

C'était à la fin d'une de ces chétives journées d'hiver qui n'ont pas la force de s'arracher complètement à la nuit.

Au deuxième jour de février, dans la brume qui brouillait le seuil entre le jour et la nuit, il était arrivé. Aucun habitant de la basse ville ne se souvenait de l'avoir aperçu. Toutes les portes étaient déjà closes. On n'attendait plus rien du monde extérieur. Les Thébains se terraient dans leur angoisse.

Il avait traversé silencieusement une ville qui suintait la mort. Pyloros, le portier de la citadelle, l'avait conduit jusqu'au vestibule du palais où les servantes l'avaient accueilli, selon le rituel. Souvent interrogé sur les circonstances de cette arrivée, Pyloros n'avait pu rapporter que trois choses sur l'étrange voyageur : la rareté de ses paroles, l'absence de tout bagage, l'enflure insolite de ses sandales. D'où venait-il ?

« Du sanctuaire de Delphes. »

Où allait-il ?

« Vers mon destin. »

Comment s'appelait-il ?

« Regarde mes pieds. On m'appelle Œdipe. »

Bien des années plus tard, nul n'en saurait davantage. »

Œdipe Roi, traduit du mythe
par Didier Lamaison,
Gallimard, coll. « Série noire », 1994.

3. *La Machine infernale* de Jean Cocteau

Jean Cocteau et le mythe d'Œdipe

« J'ai toujours traité la grande fable d'Œdipe, même lorsqu'il m'arrive d'en inventer une autre », note Cocteau dans son journal (*Le Passé défini*, Gallimard, 1983).

De fait, *La Machine infernale*, rédigée en 1932 et jouée pour la première fois le 10 avril 1934 à la Comédie-des-Champs-Élysées sous la direction de Louis Jouvet, n'est pas la première rencontre de l'auteur avec ce sujet. Celui-ci apparaît, dès 1912, dans un recueil de poèmes : *La Danse de Sophocle*. Une série de dessins, datée de 1924 et intitulée *Le Complexe d'Œdipe*, servira plus tard à illustrer l'édition originale de *La Machine infernale*. En 1925, Cocteau écrit une adaptation de l'*Œdipe Roi* de Sophocle, qui ne sera créée qu'en 1937. Enfin, en 1927, toujours à partir de la tragédie de Sophocle, il rédige le livret, traduit en latin, de l'opéra d'Igor Stravinski *Œdipus Rex*. Il y a là, on le voit, un intérêt récurrent pour ne pas dire obsédant, qui s'inscrit d'ailleurs, on le sait, dans le cadre d'une fascination plus générale pour le mythe, que ce soit à travers le personnage d'Antigone (*Antigone* en 1922) ou d'Orphée (au théâtre, *Orphée* en 1925, puis, au cinéma, *Orphée* en 1951 et *Le testament d'Orphée*, en 1959).

Résumé de la pièce

Acte I : « Le fantôme » – La pièce s'ouvre sur un prologue, où une voix raconte à l'avance, comme en accéléré, l'histoire d'Œdipe. L'action débute ensuite sur les remparts de Thèbes, où deux soldats évoquent le fantôme de Laïus, qui leur a demandé de prévenir la reine Jocaste des menaces qui pèsent sur elle. Celle-ci, avertie, vient interroger les soldats, accompagnée de Tirésias. Apparition du fantôme, qui tente de les prévenir d'un danger, lié à l'arrivée d'un jeune homme : mais personne ne le voit ni ne l'entend.

Acte II : « La rencontre d'Œdipe et du Sphinx » – Bref retour en arrière : simultanément à la scène précédente, s'est déroulée, sur une colline qui surplombe Thèbes, la rencontre entre le Sphinx et Œdipe. Une jeune fille vêtue d'une robe blanche – c'est en réalité la Sphinx qui a pris forme humaine –, explique au dieu-chacal égyptien Anubis qu'elle est lasse de tuer des hommes. Un jeune homme – Œdipe – apparaît. Grâce à l'aide de la Sphinx elle-même, il découvre la clef de l'énigme. Triomphant, il court vers Thèbes chercher la récompense. Jalouse, la jeune fille, qui est tombée amoureuse, redevient Némésis, déesse de la Vengeance, par qui s'accomplira le destin d'Œdipe.

Acte III : « La nuit de noces » – Dans la chambre nuptiale, parmi toutes

sortes d'objets qui sont autant de signes annonciateurs de l'issue fatale, s'unit le couple incestueux. Tirésias vient annoncer à Œdipe des présages funestes, mais le roi refuse de l'écouter. Les deux hommes se querellent, puis se réconcilient. Épuisés, Jocaste et Œdipe s'endorment et font chacun un cauchemar. À son réveil, Œdipe croit que Jocaste est sa mère. Celle-ci voit les traces de blessures aux pieds d'Œdipe, qui lui rappellent quelque chose qu'elle cherche à oublier.
Acte IV : « Œdipe Roi » – Dix-sept ans ont passé. La peste s'est abattue sur Thèbes. Un messager vient annoncer à Œdipe la mort de son père présumé, Polybe, et lui apprend par la même occasion qu'il n'était que son fils adoptif. Œdipe avoue le meurtre d'un vieillard. Jocaste s'enfuit. On apprend qu'elle s'est pendue avec son écharpe. Œdipe découvre que le vieillard en question était son père, Laïus, et que Jocaste était sa mère. Sa fille Antigone raconte qu'il s'est crevé les yeux avec la broche de Jocaste. Apparaît le fantôme de cette dernière, qui se présente à Œdipe non comme sa femme, mais comme sa mère. Œdipe, accompagné de Jocaste et Antigone, quitte Thèbes.

On le voit, la pièce de Cocteau englobe le mythe et la tragédie, dont l'argument n'est finalement repris qu'au quatrième acte, significativement intitulé « Œdipe Roi ». Toute l'action des trois actes précédents est censée s'être déroulée dix-sept ans plus tôt. Du coup, la transposition de l'œuvre de Sophocle en est à la fois une amplification et, au dernier acte, une sorte de condensé : tout se passe alors très vite, comme si le destin d'Œdipe était scellé depuis longtemps (ce que le caractère très progressif de la révélation, chez le dramaturge grec, avait tendance à occulter), que l'issue fatale n'était en somme qu'une simple formalité. C'est là un aspect sur lequel Cocteau, dans la lignée de nombre de ses prédécesseurs, insiste lourdement, comme l'indique d'emblée la métaphore du titre : Œdipe est victime d'une **machination** ourdie par les dieux pour le perdre. À cet égard, la scène entre la Sphinx et Œdipe est significative : lassée de son rôle de tueuse, et séduite par le jeune homme, c'est elle-même qui lui donne, sans qu'il le sache, la clef de l'énigme. Œdipe n'est plus le héros de la rationalité, porteur, pour le meilleur comme pour le pire, des valeurs du *logos**, mais un jeune homme ambitieux et fat, touchant à force de maladresse, héros de pacotille qui oublie l'essentiel (l'amour) pour le futile (le pouvoir). En ce sens, on assiste chez Cocteau, comme chez la plupart de ses contemporains, à une **désacralisation du mythe et de la tragédie**, tant dans le langage, volontiers trivial voire familier (Jocaste appelle Tirésias « Zizi » !), que dans les clins d'œil (tout le premier acte est une allusion au début d'*Hamlet* de Shakespeare) et les situations parfois bouffonnes (le fantôme de Laïus qui s'époumone en vain).

C'est que l'auteur a conscience d'écrire à la suite de toute une tradition : à ses yeux, l'accumulation des œuvres a fini par créer une sorte d'énorme stéréotype, qu'il s'agit de déconstruire. Cela ne signifie pas que la pièce soit pur persiflage : la confrontation de l'homme avec ce qui le dépasse, la relation amoureuse sous l'éclairage de la psychanalyse, la condamnation de la froide mathématique au profit de la poésie, la grandeur et la misère de la condition humaine, sont autant de thèmes profonds que Cocteau aborde, parfois sous couvert de dérision, plus souvent en faisant appel au merveilleux poétique qui caractérise son écriture.

« *Œdipe aveugle apparaît. Antigone s'accroche à sa robe.*

TIRÉSIAS

Halte !

CRÉON

Je deviens fou. Pourquoi, pourquoi a-t-il fait cela ? Mieux valait la mort.

TIRÉSIAS

Son orgueil ne le trompe pas. Il a voulu être le plus heureux des hommes, maintenant il veut être le plus malheureux.

ŒDIPE

Qu'on me chasse, qu'on m'achève, qu'on me lapide, qu'on abatte la bête immonde.

ANTIGONE

Père !

ŒDIPE

Laisse-moi… ne touche pas mes mains, ne m'approche pas.

TIRÉSIAS

Antigone !
Mon bâton d'augure. Offre-le lui de ma part. Il lui portera chance.

Antigone embrasse la main de Tirésias et porte le bâton à Œdipe.

ANTIGONE

Tirésias t'offre son bâton.

ŒDIPE

Il est là ?… J'accepte, Tirésias… J'accepte… Souvenez-vous, il y a dix-huit ans, j'ai vu dans vos yeux que je deviendrai aveugle et je n'ai pas su comprendre. J'y vois clair, Tirésias, mais je souffre… J'ai mal… La journée sera rude.

CRÉON

Il est impossible qu'on le laisse traverser la ville, ce serait un scandale épouvantable.

TIRÉSIAS, *bas.*

Une ville de peste ? Et puis, vous savez, ils voyaient le roi qu'Œdipe voulait être ; ils ne verront pas celui qu'il est.

CRÉON

Vous prétendez qu'il deviendra invisible parce qu'il est aveugle ?

TIRÉSIAS

Presque.

CRÉON

Eh bien, j'en ai assez de vos devinettes et de vos symboles. J'ai ma tête sur mes épaules, moi, et les pieds par terre. Je vais donner des ordres.

TIRÉSIAS

Votre police est bien faite, Créon; mais où cet homme se trouve, elle n'aurait plus le moindre pouvoir.

CRÉON

Je...

Tirésias l'empoigne par le bras et lui met la main sur la bouche... Car Jocaste paraît dans la porte. Jocaste morte, blanche, belle, les yeux clos. Sa longue écharpe enroulée autour du cou.

ŒDIPE

Jocaste ! Toi ! Toi vivante !

JOCASTE

Non, Œdipe. Je suis morte. Tu me vois parce que tu es aveugle; les autres ne peuvent plus me voir.

ŒDIPE

Tirésias est aveugle...

JOCASTE

Peut-être me voit-il un peu... mais il m'aime, il ne dira rien...

ŒDIPE

Femme ! ne me touche pas...

JOCASTE

Ta femme est morte pendue, Œdipe. Je suis ta mère. C'est ta mère qui vient à ton aide... Comment ferais-tu rien que pour descendre seul cet escalier, mon pauvre petit ?

ŒDIPE

Ma mère !

JOCASTE

Oui, mon enfant, mon petit enfant… Les choses qui paraissent abominables aux humains, si tu savais, de l'endroit où j'habite, si tu savais comme elles ont peu d'importance.

ŒDIPE

Je suis encore sur la terre.

JOCASTE

À peine…

CRÉON

Il parle avec des fantômes, il a le délire, la fièvre, je n'autoriserai pas cette petite…

TIRÉSIAS

Ils sont sous bonne garde.

CRÉON

Antigone ! Antigone ! je t'appelle…

ANTIGONE

Je ne veux pas rester chez mon oncle ! Je ne veux pas, je ne veux pas rester à la maison. Petit père, petit père, ne me quitte pas ! Je te conduirai, je te dirigerai…

CRÉON

Nature ingrate.

ŒDIPE

Impossible, Antigone. Tu dois être sage… je ne peux pas t'emmener.

ANTIGONE

Si ! si !

ŒDIPE

Tu abandonnerais Ismène ?

ANTIGONE

Elle doit rester auprès d'Étéocle et de Polynice. Emmène-moi, je t'en supplie ! Je t'en supplie ! Ne me laisse pas seule ! Ne me laisse pas chez mon oncle ! Ne me laisse pas à la maison.

JOCASTE

La petite est si fière. Elle s'imagine être ton guide. Il faut le lui laisser croire. Emmène-la. Je me charge de tout.

ŒDIPE

Oh !...

Il porte la main à sa tête.

JOCASTE

Tu as mal ?

ŒDIPE

Oui, dans la tête et dans la nuque et dans les bras.. C'est atroce.

JOCASTE

Je te panserai à la fontaine.

ŒDIPE, *abandonné*.

Mère...

JOCASTE

Crois-tu ! cette méchante écharpe et cette affreuse broche ! L'avais-je assez prédit.

CRÉON

C'est im-pos-si-ble. Je ne laisserai pas un fou sortir en liberté avec Antigone. J'ai le devoir...

TIRÉSIAS

Le devoir ! Ils ne t'appartiennent plus ; ils ne relèvent plus de ta puissance.

CRÉON

Et à qui appartiendraient-ils ?

TIRÉSIAS

Au peuple, aux poètes, aux cœurs purs.

JOCASTE

En route ! Empoigne ma robe solidement... n'aie pas peur...

Ils se mettent en route.

ANTIGONE

Viens, petit père... partons vite...

ŒDIPE

Où commencent les marches ?

JOCASTE ET ANTIGONE

Il y a encore toute la plate-forme...

Ils disparaissent... On entend Jocaste et Antigone parler exactement ensemble.

JOCASTE ET ANTIGONE

Attention... compte les marches... Un, deux, trois, quatre, cinq...

CRÉON

Et en admettant qu'ils sortent de la ville, qui s'en chargera, qui les recueillera ?...

TIRÉSIAS

La gloire.

CRÉON

Dites plutôt le déshonneur, la honte...

TIRÉSIAS

Qui sait ?

RIDEAU »

Pistes de lecture

Nous l'avons dit, le quatrième acte, intitulé « Œdipe Roi » est une sorte de contraction de la tragédie de Sophocle, dont nous retrouvons notamment les étapes finales : révélation de la naissance d'Œdipe, puis du parricide et de l'inceste, pendaison de Jocaste, mutilation d'Œdipe, départ pour l'exil. Cette proximité permet de mettre en valeur les différences, et de montrer en quoi Cocteau innove. Trois points méritent tout particulièrement d'être soulignés.

Le premier concerne bien entendu la relation Œdipe/Jocaste. Après son suicide, le fantôme de celle-ci apparaît. Œdipe, dans un premier temps, le repousse, mais c'est en tant que mère qu'elle s'adresse à lui. Elle le prend sous sa protection, et lui s'abandonne à cette tendresse, comme le petit enfant qu'il est resté. Et ce n'est plus seul, comme chez Sophocle, qu'il part alors, ni même accompagné d'Antigone, comme dans de nombreuses versions du mythe, mais guidé par les deux femmes, la mère et la fille (qui parlent d'une même voix, comme si elles ne formaient désormais qu'un seul et même être), dans une sorte de conciliation de la triple figure de père, d'amant et d'enfant qui, faut-il le préciser, doit beaucoup à la psychanalyse.

Le personnage de Créon diffère également sensiblement de celui dont Sophocle avait fait un modèle de grandeur, de mesure et de générosité. Nous le voyons ici déjà tel qu'il réapparaîtra dans l'histoire d'Antigone : un souverain autoritaire (« je n'autoriserai pas », « je vais donner des ordres »), terre à terre et passablement borné, inaccessible aux mystères (« j'en ai assez de vos devinettes et de vos symboles... »), exclusivement préoccupé de la préservation des apparences (« ce serait un scandale épouvantable »), et déjà potentiellement répressif (Tirésias ne fait-il pas allusion à sa police ?).

Œdipe enfin, semble littéralement transfiguré par le châtiment qu'il s'est infligé. Non seulement sa cécité a fait de lui, à l'image de Tirésias, un « voyant » : ils sont les seuls à voir le fantôme de Jocaste, tandis que Créon croit qu'il délire, mais de plus, il peut désormais accéder à l'immortalité (« la gloire », dit Tirésias, qui n'a rien à voir avec la gloire superficielle au nom de laquelle il avait eu l'illusion de vaincre la Sphinx). En somme, Cocteau annonce déjà *Œdipe à Colone* : le châtiment se confond avec le salut, et c'est pour ainsi dire instantanément qu'Œdipe se divinise. Les crimes qu'il a commis sont alors effacés (« Les choses qui paraissent abominables aux humains, si tu savais, de l'endroit où j'habite, si tu savais comme elles ont peu d'importance », déclare Jocaste), ou plus exactement apparaissent rétrospectivement comme les épreuves d'une initiation.

à vous...

1 – Expliquez et commentez la phrase de Tirésias : « Son orgueil ne le trompe pas. Il a voulu être le plus heureux des hommes, maintenant il veut être le plus malheureux. »

2 – Citez des expressions qui contribuent à désacraliser la tragédie.

3 – Chez Cocteau, le fantastique a tendance à se substituer au tragique. En voyez-vous une illustration ici ? Laquelle ? Selon vous, s'agit-il d'un gain ou d'une perte ?

4 – Que pensez-vous de la dernière réplique de la pièce ?

4. *Edipo Re* de Pier Paolo Pasolini

Pier Paolo Pasolini est né en 1922 à Bologne. Il commence à écrire pendant la guerre, mais ce n'est qu'en 1955 qu'il se fait connaître, par des poèmes, et surtout par un roman qui fait scandale : *Ragazzi di vita* (*Les Ragazzi*). D'abord écrivain et essayiste, il découvre le cinéma comme scénariste à partir de 1954, et participe à plusieurs films de jeunes cinéastes italiens (Fellini, Bolognini, Bertolucci...). Il réalise son premier film, *Accattone*, en 1960. Suivent *Mamma Roma* en 1962, *L'Évangile selon saint Matthieu* en 1964, *Uccellacci e uccellini* (*Méchants oiseaux, petits oiseaux*) en 1965, etc.

Pasolini tourne *Edipo Re* (*Œdipe Roi)* au Maroc en 1967. Par la suite, il renouera avec le mythe dans *Médée* en 1969. Il meurt assassiné sur une plage d'Ostie, près de Rome, en 1975.

Résumé du film

Le film se décompose en trois parties nettement distinctes et d'inégale longueur.

Le prologue, situé à l'époque moderne, juxtapose une série de brèves séquences illustrant la naissance puis les premiers mois d'un enfant, et donnent l'impression d'appartenir à un rêve. On y voit le bébé allaité et bercé par la mère, les parents (le père est un militaire, comme le propre père de Pasolini) qui s'embrassent et s'étreignent, la mère qui marche et se recoiffe devant un miroir, ou encore le père qui contemple son fils tandis qu'apparaît sur l'écran en intertitre la phrase suivante : « Tu es ici pour prendre ma place dans le monde, me rejeter dans le néant et me voler tout ce que j'ai. »

La deuxième partie, qui constitue l'essentiel du film, est le récit fidèle de l'histoire d'Œdipe, incluant le mythe et la tragédie, depuis l'exposition sur le mont Cithéron jusqu'à la peste à Thèbes et la fin atroce du couple royal, en passant par la consultation de l'oracle, la rencontre avec la Sphinx ou la dispute avec Tirésias.

L'épilogue fait retour à l'époque contemporaine, comme nous allons le voir dans un instant.

Ce n'est pas tant, à dire vrai, le passage brutal d'une époque à l'autre

Une scène de *Edipo Re*, de Pier Paolo Pasolini. Que pensez-vous du choix de faire jouer Œdipe par un acteur jeune ? Quelle expression se lit ici sur le visage du personnage ?

qui risque de déconcerter le spectateur d'*Edipo Re* que la façon un peu abrupte – et qui peut nous paraître rétrospectivement naïve – dont Pasolini « plaque » sur le mythe et la tragédie un discours et des références modernes. Il est évident qu'il ne s'agit pas pour Pasolini – en tout cas, pas seulement – de filmer l'histoire d'Œdipe, mais de nous en donner sa version toute personnelle.

Quant au récit proprement dit, dont tous les éléments sont rigoureusement fidèles au mythe et/ou à la tragédie, il témoigne du souci du cinéaste de nous restituer les aspects contradictoires d'une civilisation que nous connaissons bien à travers des textes et des monuments mais qui, en même temps, nous est terriblement lointaine. À cet égard, le choix de tourner le film au Maroc, dans un décor quasi désertique, est significatif. Il se dégage des paysages austères et sauvages, des poussiéreux villages de pierre, comme des costumes hétéroclites – frustes et archaïques –, ou encore de l'étrange musique, elle aussi empruntée à des univers très différents (japonaise, roumaine...), sans parler des comportements des personnages, une impression de barbarie, de primitivisme (par exemple la violence de l'épisode du meurtre de Laïos), aux antipodes du péplum* auquel une adaptation plus classique – hollywoodienne en somme – aurait pu aboutir.

Mais c'est bien entendu dans le prologue et surtout dans l'épilogue, à travers des références manifestement autobiographiques, et une lecture très idéologique du mythe, que Pasolini nous livre véritablement son « Œdipe ».

Extrait

« Place – jour

Une longue file de portiques anciens sur une place du XXe siècle. Œdipe, barbu, et le messager avancent. Gros plan d'Angelo, la main d'Œdipe sur son épaule, qui se met à siffler. Plan de la file de portiques sous lesquels ils s'éloignent.

Place de la cathédrale – jour

Plan général en contre-plongée d'une grande cathédrale; sur les marches, Œdipe est assis. Gros plan d'Œdipe jouant de la flûte. Plan américain d'Angelo, donnant à manger aux oiseaux. Plan rapproché d'Œdipe, jouant de la flûte; panoramique sur les touristes qui entrent dans la cathédrale, et sur la place de la cathédrale, avec les voitures qui passent. On entend la flûte d'Œdipe. Plan moyen de touristes. Autre plan de touristes assis à une terrasse de café. Plan moyen de quatre touristes. Plan rapproché de deux touristes. Autre plan de touristes marchant. Gros plan d'Œdipe qui joue de la flûte, arrête, secoue la tête et appelle :

ŒDIPE. – Angelo !

Demi-ensemble : Angelo courant à travers les pigeons pour les effrayer. Gros plan d'Œdipe se levant, suivi en panoramique jusqu'à une contre-plongée (le clocher de l'église au fond).

ŒDIPE. – Angelo ! Angelo !

Plan général de la place; Angelo accourt, en faisant s'envoler les pigeons. Contre-plongée de la cathédrale; Angelo monte les marches vers Œdipe, qui met la main sur son épaule. Ils s'éloignent, passant vers la façade de la cathédrale. Œdipe siffle très lentement le début d'un air. Cut.

Périphérie industrielle – jour

Énormes, plates, légères, les usines occupent tout l'horizon ouaté d'une matinée sereine du Nord.

C'est un endroit où les autoroutes et les fleuves de machines passent dans le brouillard bleu. Mais tout est dominé par la présence des usines, avec leurs lignes qui obéissent à des nécessités obscures, et ont ainsi une simplicité d'églises antiques. Le lilas, le gris, le nuancé, le blanc aveuglant des murailles asymétriques et des files obsédantes de constructions cylindriques toutes identiques sont posés contre le ciel, qui a les mêmes couleurs.

Plan général, contre-plongée : mur d'une usine. Musique : la flûte reprend lentement l'air sifflé par Œdipe; c'est un vieux chant révolutionnaire. Gros plan d'Œdipe jouant l'air sur sa flûte. Plan général : entre deux murs d'enceinte de deux usines, des enfants jouent au ballon dans la rue. Ninetto joue avec eux. Gros plan d'Œdipe jouant de la flûte. Contre-plongée : un réservoir d'une usine. Demi-ensemble et panoramique sur une usine et des camions qui passent, découvrant d'autres bâtiments. Demi-ensemble : un ouvrier traversant une place. Demi-ensemble : des ouvriers marchant dans la rue, des bicyclettes passant. Plan moyen : un ouvrier sortant d'une usine à bicyclette. Gros plan d'Œdipe, s'arrêtant de jouer, mettant la main devant la bouche. Plan rapproché d'Angelo, faisant rebondir le ballon avec la tête, le rattrapant à la main. Gros plan d'Œdipe, qui appelle.

ŒDIPE. – Angelo ! Angelo !

Il se lève. Plan moyen : Angelo, qui arrête de jouer avec les enfants et accourt. Demi-ensemble : Angelo arrive à la hauteur d'Œdipe, qui met la main sur son épaule. Ils s'éloignent dans la rue, entre deux murs d'usine.

Rue ville – jour

Le plan du début de la maison natale. Au lieu des deux soldats, Œdipe et Angelo passent maintenant devant le monument. Deux voitures sont arrêtées devant la porte. Début musique (thème mère).

Ferme – jour

Plan moyen du mur extérieur de la ferme : Œdipe et Angelo passent tous les deux. Plan général de la cour de ferme : ils arrivent du fond. Gros plan d'Œdipe, précédé en travelling, la main sur l'épaule d'Angelo (en amorce) ; travelling arrière découvrant aussi Angelo. Plan moyen de la porte de la maison. Plan général de la maison.

Pré – jour

Plan général de la prairie du début. À droite, au fond, la ferme. Œdipe et Angelo entrent dans la prairie. Plan rapproché de leurs jambes entrant dans le pré. Gros plan d'Œdipe avançant et titubant dans le pré. Demi-ensemble : panoramique sur les branches et la cime des arbres. La musique s'arrête et se change en la musique militaire du générique du film. Suite du panoramique. Gros plan d'Œdipe.

ŒDIPE. – Où sommes-nous ?

Gros plan d'Angelo.

ANGELO. – Nous sommes dans un endroit avec de grands arbres, et la brume qui se lève, dans un pré tout vert.

Gros plan d'Œdipe. Il pleure.

ŒDIPE. – Ô lumière que je ne voyais plus, qui avant étais en quelque sorte mienne, maintenant tu m'éclaires pour la dernière fois. Je suis de retour. La vie finit où elle commence.

Il avance vers la caméra. Nouveau plan des arbres et panoramique descendant de la cime des arbres sur l'herbe. La musique disparaît. Carton de Fin. »

Pistes de lecture

Il s'agit ici, on l'aura compris, du découpage et des dialogues de l'épilogue du film. Nous y voyons le héros, devenu aveugle, brutalement extrait de la Grèce antique et plongé dans le monde contemporain, dans trois séquences nettement distinctes.

La première nous le montre marchant dans les rues d'une ville moderne, accompagné du messager de la tragédie, nommé ici Angelo (*angelos* signifie « messager » en grec), sous une file de portiques, puis sur le parvis d'une cathédrale, donnant à manger aux oiseaux. L'arrière-plan religieux est ici évident. Le visage d'Œdipe, barbu, évoque inévitablement celui du Christ. Et la présence des oiseaux autour d'eux n'est pas sans faire songer à saint François d'Assise, fréquemment représenté dans cette situation (on dit qu'il parlait aux oiseaux).

La deuxième séquence se situe dans une banlieue ouvrière, à la sortie des usines. On nous précise que l'air chanté puis joué à la flûte par Œdipe, est « un vieux chant révolutionnaire ». Cet air, ainsi que la présence des ouvriers, nous font passer ici du plan religieux au plan politique.

La dernière séquence enfin fait retour au prologue. Les deux personnages se retrouvent sur le lieu initial, devant la maison natale, tandis que la musique est également celle du début, qui accompagnait les scènes d'enfance avec la mère. On notera que cette musique est bientôt remplacée par une musique militaire, allusion transparente au père officier (de l'enfant dans le film et de Pasolini dans la vie).

Ainsi Œdipe est-il voué à renaître indéfiniment, ici sous les traits d'un Christ, puis d'un ouvrier moderne, figures sacrificielles et rédemptrices aux yeux de Pasolini. C'est donc sous le triple éclairage – religieux, politique, et psychanalytique – que s'achève le film. On pourrait dire aussi : chrétien, communiste, freudien. Ou encore : universel (tous les hommes), collectif (une classe sociale : le prolétariat), individuel (le Moi personnel). Éclairage autobiographique sans aucun doute : Œdipe et Angelo déambulent d'ailleurs dans les rues de Bologne (Bologne-Colone ?), la ville natale du cinéaste. Tout se passe en somme comme si Pasolini, fils de militaire, communiste et chrétien, superposait dans la figure d'Œdipe cette triple référence personnelle, s'identifiant finalement au héros thébain.

à vous...

1 – Cherchez à quoi correspondent les termes techniques suivants : plan général, plan moyen, plan rapproché, plan américain, demi-ensemble, contre-plongée, panoramique, travelling, travelling arrière, cut.

2 – Sur ce modèle, imaginez l'adaptation cinématographique de la fin d'*Œdipe Roi* de Sophocle, à partir de l'apparition d'Œdipe aveugle (p. 110) : rédigez à votre tour le découpage et les dialogues.

5. *Œdipe sur la route* d'Henry Bauchau

Parmi les réécritures récentes du mythe d'Œdipe, voici l'une des plus intéressantes. Né en 1913 en Belgique, à Malines, Henry Bauchau a partagé sa vie entre la littérature et la psychanalyse. Sa consécration comme écrivain aura été tardive : l'importance de son œuvre, composée de pièces de théâtre, de poèmes et de romans, n'a été reconnue que tout récemment, au début des années 1990, grâce à son triptyque romanesque : *Œdipe sur la route* (1990), *Diotime et les lions* (1991) et *Antigone* (1997) (complété par le *Journal d'Antigone*, en 1999). Selon Bauchau lui-même, la rédaction d'*Œdipe sur la route* aura été une entreprise de longue haleine (de 1984 à 1989). Écrit peu auparavant, le recueil de poèmes intitulé *Les Deux Antigone* témoigne de la fascination qu'exercent sur l'auteur ces deux grands mythes :

« Ce poème, qui demeure à mes yeux le plus attentif de ceux que j'ai écrits, a eu une grande importance dans l'évolution de mon œuvre en ramenant dans mes perspectives d'écriture deux personnages auxquels je m'intéressais depuis longtemps : Œdipe et Antigone. »

Henry Bauchau, *L'écriture et la cirsonstance*.

Œdipe sur la route est un livre envoûtant, tant par la profondeur de l'expérience qu'il rapporte que par sa richesse formelle : à la relation de l'errance d'Œdipe et de ses compagnons, prise en charge, dans un éternel présent (celui du mythe ?), tantôt par le narrateur, tantôt – dans les deux derniers chapitres – par l'un des compagnons du héros (Clios, Narsès), se mêlent en effet, à l'occasion de haltes et au gré des rencontres, d'autres récits : récits de rêves, souvenirs d'enfance ou de jeunesse… qui font de Clios, Constance, Antigone, Narsès et Œdipe lui-même les multiples voix d'un récit symphonique, où les détails les plus réalistes et les plus triviaux côtoient les visions oniriques et symboliques.

Résumé du roman

Œdipe, aveugle, quitte Thèbes, accompagné d'Antigone. En chemin, ils rencontrent un bandit, Clios, qui les attaque d'abord, puis, vaincu par

Œdipe, se joint à eux. Tous trois cheminent longuement. Ils s'arrêtent dans les villages pour mendier et trouver un abri : on les chasse parfois à coups de pierre, lorsqu'on apprend qui ils sont. Un jour, des bergers font appel à eux pour les délivrer d'un homme qui pille leurs troupeaux.

Ils finissent par arriver chez une vieille femme, Diotime, qui semble les attendre et les accueille dans sa maison, en compagnie de son fils, Narsès. Ils restent plusieurs jours, puis repartent, mais ils reviendront régulièrement.

Parvenu à un cap au bord de la mer, Œdipe avise une falaise en forme de vague : il entreprend de la sculpter. L'entreprise dure des jours : Œdipe manque d'y périr mais parvient à ses fins, au cours d'une effrayante tempête.

Les voici de nouveau en route. Un jour, ils sont conviés à une fête. À la demande de ses hôtes, Œdipe accepte de chanter : il découvre en lui le don du chant et devient aède*. Il raconte des épisodes de sa jeunesse : en particulier comment, à Cnossos, il est entré dans le labyrinthe du Minotaure.

Plus tard, Œdipe est appelé pour soigner des pestiférés. Il les guérit par l'imposition des mains. Mais il est contaminé. Antigone le soigne, aidée de Calliope, une jeune esclave. Œdipe agonise. On le croit mort, mais il survit et se rétablit lentement.

Un messager vient l'informer que des événements graves se déroulent à Thèbes et que Thésée, roi d'Athènes, est prêt à l'accueillir et à le protéger. Œdipe repart sur la route, toujours accompagné de Clios et d'Antigone. Calliope s'est jointe à eux. Ils cheminent une année durant. Ils arrivent à Thèbes. Œdipe chante sous les remparts. Des soldats tentent de le lapider, mais Clios le défend.

Clios quitte ses compagnons pour se marier dans son pays.

La rumeur se répand que la cité qui recueillera les cendres d'Œdipe sera bénie et deviendra la plus puissante de Grèce. Les deux fils d'Œdipe, Étéocle et Polynice, qui se battent pour le trône de Thèbes, vont essayer de renforcer leur camp par la présence d'Œdipe. Celui-ci décide de partir pour Athènes. Œdipe et Antigone se retrouvent ensemble tous les deux. Ils parviennent au pays des Hautes Collines, où ils sont accueillis par le Régent, Constance, qui leur fait le long récit de sa vie. Ils demeurent encore un an dans les Hautes Collines, puis repartent. Ils parviennent à Colone, faubourg d'Athènes. Peu après, arrivent Ismène, puis Thésée, et enfin Créon, ce dernier escorté d'une troupe de soldats qui s'efforcent en vain de ramener Œdipe à Thèbes. Emmenées de force, Ismène et Antigone sont délivrées par Clios et les soldats de Thésée. Tous se retrouvent à Colone. Apparaît Polynice, qui demande en vain à Œdipe de l'aider : celui-ci le repousse et maudit ses deux fils. Clios, devenu peintre, parle à Œdipe d'une fresque, peinte sur un mur en pleine campagne, qui raconte leur cheminement. Plus tard, Œdipe guide Thésée vers le lieu où il est appelé : à la grande surprise de Clios, c'est l'endroit où se trouve la fresque, qui représente un chemin. Œdipe fait ses adieux à ses filles et à Clios, puis pénètre dans la fresque et s'engage sur le chemin.

Le récit se déroule entre la fin d'*Œdipe Roi* et la fin d'*Œdipe à Colone* (dont les deux derniers chapitres sont une sorte de condensé) : il s'agit « d'accompagner Œdipe et Antigone dans le long voyage qui doit les mener de Thèbes, cité royale du désastre et de l'aveuglement, à Colone, lieu de la clairvoyance, de la gloire et de la mort d'Œdipe ». Mais ce qui a fasciné l'auteur dans cette longue et mystérieuse errance du héros (le mythe n'en dit à peu près rien), c'est surtout le cheminement intérieur par lequel celui-ci va passer du statut d'aveugle maudit chassé par tous à celui de voyant sacré, dont on se dispute la faveur. C'est donc bien à une quête initiatique que nous avons affaire ici : « Œdipe refuse la fin royale de Jocaste et la destinée du héros tragique, il garde en lui l'espérance – et l'acharnement – de découvrir un plus de vie dans un plus de sens, comme le font ceux qui entreprennent leur analyse. Les malades psychiques, comme Œdipe, ne voient pas ce qui leur crève les yeux et c'est en travaillant leur aveuglement par l'analyse qu'ils entreprennent d'aller vers plus de clairvoyance. » Et on retrouve ici en effet tous les éléments de l'initiation : tombé du haut de sa gloire et de sa puissance dans un dénuement extrême, le héros, aidé de ses compagnons, y subit une série d'épreuves au cours desquelles il frôle la mort, pour mieux renaître, purifié. Alors, seulement, il pourra accéder à la Connaissance, en plusieurs étapes : il se découvre ainsi successivement sculpteur, chanteur, guérisseur, voyant, dieu enfin. Quant à Clios, personnage inventé par Bauchau, il apparaît comme une sorte de double de l'auteur, bandit devenu peintre, dont la fresque conte les actes du personnage et lui permet, en fin de compte, symboliquement, d'accéder à l'immortalité.

Extrait

« Le cap forme au nord un surplomb sous lequel on ne peut parvenir que par un sentier étroit où s'abritent parfois des chèvres à demi sauvages. Sous le surplomb, il y a une grande paroi sombre que les vagues viennent frapper pendant les tempêtes et qui plonge, d'un mouvement abrupt et menaçant, dans la mer. Œdipe a rêvé qu'il sculptait une falaise. Il vient explorer celle-ci avec Clios. Il tâte la pierre des mains, il se hisse dangereusement sur la paroi. Il se colle aux aspérités du rocher, il l'ausculte, l'étreint avec les mouvements lourds, ralentis d'un nageur à demi submergé. Clios lui dit : « La roche ressemble à une énorme vague qui s'élève et va tout engloutir en retombant. » Œdipe approuve. « Il y a la vague, il faut trouver un moyen pour qu'elle ne nous emporte pas. Ce n'est pas un homme seul qui peut le faire, il faut une barque et des rameurs. »

Œdipe cherche avec son corps, dans la confusion native de la falaise, la forme de la barque qui doit y être, ainsi que la place des rameurs. Soudain il trouve, il est la barque, il la dessine avec son corps dans la pierre. Il veut la sculpter. Clios demande pourquoi. Œdipe répond que c'est à cause de son rêve. À cause d'eux trois, emportés par la mer. Clios ne croit pas qu'on puisse échapper à cette vague. « Il faut travailler la falaise, dit Œdipe, pour entendre ce qu'elle veut nous dire. – C'est un travail immense ! – Il faut commencer tout de suite. Procure-toi des outils. Antigone nous aidera, elle sculpte bien les corps et les visages. » [...]

Ce ne sont plus en effet les coups réguliers, le rythme patient, retenu qui est celui d'Œdipe. Ce sont des coups qui brisent et font voler la pierre par pans entiers et qui ne s'arrêtent pas. On croit entendre la mer elle-même qui n'a pas à ménager ses forces, ou l'orage qui se rue follement vers eux. On entend les grondements encore lointains du tonnerre et les premières gouttes commencent à tomber. L'ouragan se déchaîne, les vagues en bas se creusent, s'élèvent très haut et retombent en mugissant. Des rafales de pluie s'abattent sur eux en trombe, Antigone, effrayée, crie à Œdipe : « Remonte, remonte vite ! » Un grand rire triomphant s'élève auquel répond, à côté d'elle, celui de Clios qui exulte et crie entre deux coups de tonnerre : « La vague monte, elle monte. Il va la forcer, la plier ! » Œdipe se hisse sur une pointe de rocher où il se tient à cheval. Il travaille des deux mains avec des outils énormes. La pluie et les éclairs aveuglent Antigone, mais elle entend le bruit forcené du burin, de la masse et de la pierre fracassée. On dirait qu'un géant creuse et frappe la falaise. Clios rit et, en hurlant des messages, modifie sans cesse la tension de la corde. Le rire et les cris victorieux d'Œdipe lui répondent. Antigone est écrasée par la pluie torrentielle, le vent et le tumulte du tonnerre. Un éclair jaillit, elle pense que la foudre va frapper Œdipe, mais non, l'orage n'est pas encore à son paroxysme et elle tombe près du rivage sur un grand arbre qui prend feu.

Clios lui crie dans l'oreille : « Il a réussi, la vague retombe ! » Elle est effrayée, elle ne comprend plus ce qui se passe, elle a froid dans ses vêtements trempés. Clios a rejeté presque tous les siens et, tout en manœuvrant la corde, il hurle de joie. Antigone se dit que l'orage et la mer ont déjà dû laver les vomissements d'Œdipe. Plus rien ne reste, plus rien ne restera de ce moment affreux qu'elle sera seule à connaître. »

Pistes de lecture

La sculpture de la vague constitue un moment clef du livre, une étape essentielle dans la quête initiatique d'Œdipe, un épisode d'une grande richesse symbolique, mais également d'une grande beauté formelle.

Notons d'abord que l'entreprise, qui fait écho à un rêve d'Œdipe, n'est à aucun moment présentée comme irrationnelle, onirique ou poétique. C'est même avec un certain réalisme que Bauchau nous décrit la scène. Nous sommes bien dans l'univers du *muthos**, du mythe à proprement parler, où tout est possible. On passe sans transition, comme naturellement, de l'image (« la roche ressemble à une énorme vague ») à la réalité (« il y a la vague »).

Quels sont les enjeux du projet d'Œdipe ? Ou bien, en d'autres termes, quelle est cette vague ? On répondra bien sûr : les épreuves subies (ou à subir) par le héros, et, plus largement la vie elle-même.

« Tout en sculptant, il pense à la Sphinx qui était, comme la vague, infiniment plus puissante que lui. C'est de sa force qu'il s'est servi pour l'emporter, en plongeant dans son obscurité le couteau des réponses. La Sphinx a disparu comme s'effacent les vagues. Il a cru en être la cause, il a accepté le triomphe, la reine, la royauté, sans voir qu'en face de lui une autre vague, bien plus haute, se soulevait déjà. Les hommes de la barque ne seront pas comme lui, ils sauront que cette vague n'est pas la seule, qu'il ne suffit pas de triompher d'elle, qu'il faut affronter la tempête tout entière avec sa succession de vagues pour retrouver le port. »

Dès lors, sculpter la vague, et, sur la vague, sculpter la barque avec ses passagers (Œdipe lui-même et ses compagnons), n'est-ce pas prendre les choses en main, affirmer sa volonté de maîtrise ? Symbole de la faiblesse et de la solitude humaines, la vague, qui emporte l'homme à son gré, sera ici tordue, courbée, informée par la volonté de l'artiste, qui, à l'image d'un dieu – il y a une dimension réellement cosmique dans la confrontation d'Œdipe et de la roche dans la tempête –, (re)crée le monde.

Au reste, la métaphore du sculpteur n'est pas indifférente. Elle s'inscrit dans un réseau thématique omniprésent dans le livre de Bauchau : celui de l'Art. Œdipe se découvre successivement sculpteur, chanteur (aède*, c'est-à-dire chanteur mais aussi poète), puis « voyant » (on a fréquemment – Hugo, Baudelaire, Rimbaud... – comparé le poète, et le créateur en général, à un voyant). Et à la fin, il accède à l'immortalité en pénétrant dans la fresque peinte par Clios. C'est assez dire le rôle que l'écrivain assigne à la création artistique : permettre à l'homme de surmonter ses peurs, donner vie au « délire ».

à vous...

1 – Dans la première partie du texte, dégagez le champ lexical du corps. Qu'en pensez-vous ?

2 – Étudiez la présence des éléments dans le texte. Quel rôle joue la tempête ?

3 – Montrez comment est suggérée l'identification d'Œdipe à un démiurge (chercher le sens de ce mot dans le dictionnaire).

4 – Pourquoi ce moment est-il qualifié, à la fin de l'extrait, d'« affreux » ?

Théories œdipiennes

Les pages qui précédent ne doivent pas nous tromper : la postérité artistique d'Œdipe au XXe siècle apparaît à la fois inférieure et, pour une large part, subordonnée à sa (re)découverte par les sciences humaines (philosophie, histoire, anthropologie, psychologie, etc.). Bien plus : alors que les réactualisations littéraires, malgré d'incontestables réussites, témoignent d'un certain affadissement du mythe, les réflexions des philosophes, psychanalystes, historiens et anthropologues l'ont en revanche spectaculairement revivifié.

6. Philosophie : Jean-Joseph Goux, *Œdipe philosophe*

L'intérêt de la philosophie pour la figure d'Œdipe n'est pas récent. Que l'on songe seulement à Aristote, dont nous avons vu quelle admiration il vouait à la pièce de Sophocle : mais c'était surtout, somme toute, en théoricien de la littérature, et d'un point de vue presque technique, qu'il prenait position. Par la suite, nombreux sont les penseurs qui ont trouvé dans l'histoire du roi de Thèbes une illustration de problématiques philosophiques fondamentales, par exemple sur la question de la liberté, ou encore sur celle... de la philosophie, précisément !

Dans une lettre à Goethe du 11 novembre 1815 (citée par Colette Astier in *Le Mythe d'Œdipe*), Schopenhauer établit clairement le parallèle entre Œdipe et le philosophe :

« C'est le courage d'aller jusqu'au bout des problèmes qui fait le philosophe. Il doit être comme l'Œdipe de Sophocle qui, cherchant à élucider son terrible destin, poursuit infatigablement sa quête, même lorsqu'il devine que la réponse ne lui réserve qu'horreur et épouvante. Mais la plupart d'entre nous portent en leur cœur une Jocaste suppliant Œdipe pour l'amour des Dieux de ne pas s'enquérir plus avant. »

Dans son *Œdipe philosophe*, publié en 1990, Jean-Joseph Goux développe et approfondit cette interprétation, selon laquelle « Œdipe est la figure prototype du philosophe ».

La thèse du livre est la suivante : si l'on veut définir précisément la faute d'Œdipe, c'est dans la confrontation avec la Sphinx qu'il faut la chercher. Or, cette confrontation révèle ce que l'auteur appelle une « initiation éludée ». Qu'est-ce que cela signifie ? D'abord que la rencontre entre le héros et le monstre doit être comprise, symboliquement, comme un rite d'initiation (pubertaire, c'est-à-dire de passage à l'âge adulte). Traditionnellement, celui-ci comprend trois épreuves : la première concerne le **désir sexuel**, la deuxième la **force guerrière**, la troisième l'**intelligence**. Ce n'est qu'après avoir subi victorieusement ces trois épreuves que le jeune néophyte pourra être considéré comme un homme à part entière (l'homme : c'est justement la solution de l'énigme). Et la Sphinx est précisément un monstre triple : un visage et un buste de femme, qui renvoient à la sexualité ; un corps de lion, qui renvoie à la force guerrière ; et des ailes d'aigle, qui renvoient à la connaissance des choses élevées, divines : autrement dit à l'intelligence. Or, Œdipe ne subit pas les trois épreuves, mais une seule : celle de l'esprit. L'initiation est donc incomplète, et, en tant que telle, elle constitue un outrage aux dieux, ou plutôt à un dieu : Apollon. Pourquoi Apollon ? C'est ce que l'auteur va expliquer à présent.

Extrait

« Ne l'oublions pas : Apollon a été honoré comme le patron des philosophes. C'est lui qui, avec les Muses, préside à leurs confréries. Dans l'esprit de la tradition, *philosopher, c'est rendre un culte à Apollon*. L'on sait que, longtemps, lorsqu'un philosophe apparaîtra comme marqué d'un signe céleste (Pythagore, Platon), la légende, avec persistance, voudra qu'il soit le fils de ce dieu.

Si le philosophe se place sous le patronage sacré du dieu de la lumière, il est certain, alors, que la démesure philosophique sera censée rencontrer son point de rupture catastrophique dans une sanction divine administrée par ce même dieu. Dépasser la mesure dans la visée philosophique sera nécessairement outrager Apollon, et encourir sa rétorsion.

Le sens que prendra le mythe d'Œdipe, pour Sophocle, devient dès lors plus clair. Sous sa forme mythique, l'intrigue d'Œdipe a déjà sans doute le sens général qu'elle aura chez Sophocle, l'infatuation *cognitive*, punie par Apollon, et plus profondément : l'initiation éludée par présomption de sagesse. [...]

L'initiation, quelle qu'en soit la forme – et elle peut être bien différente de celle que le mythe condense en une formidable ellipse – est par excellence une situation de transmission ; elle est le contraire de l'infatuation autodidacte, sa brisure. Le rite d'initiation suppose l'acceptation d'une autorité spirituelle, elle réalise l'insertion dans une chaîne qui marque la place d'un maître et le rattachement à des ancêtres fondateurs. Le philosophe, dans son type le plus radical, ne se présente plus comme un initié, mais au contraire comme celui qui, par lui-même, en vertu de sa propre réflexion libérée de tout héritage, peut découvrir la vérité. Par une rupture qui est une présomption inouïe, contrairement au prêtre, ou à toute personne *investie* d'une sagesse sacerdotale, *le philosophe est le non-initié*. Cette qualité, scandaleusement, n'est pas pour lui une privation ; elle signifie une libération, et un espoir C'est dans l'activité autonome de sa raison, c'est par l'auto-réflexion, sans l'aide d'aucun dieu ni d'aucun maître, que le philosophe dans son type le plus extrémiste, prétend accéder à la vérité.

On voit ainsi en quoi le personnage mythique d'Œdipe était, en quelque sorte, fait pour typifier avec une profondeur inégalable la prétention philosophique. Œdipe est celui qui veut, par le seul exercice de son intelligence, écarter la Sphinge placée comme un gardien vigilant et terrible sur le seuil initiatique. Il est celui qui esquive l'énigme de l'initiation, davantage qu'il ne franchit l'obstacle initiatique. Tout comme le philosophe radical, il pervertit une activité de première fonction (la raison, l'intelligence) en se servant d'elle pour disqualifier toute sagesse traditionnelle. Tout comme le philosophe, c'est par lui-même et non en s'autorisant d'un maître et d'un héritage qui le légitime, qu'il entend partir à la conquête de la vérité.

Ce n'est donc pas par hasard si Sophocle donne à Œdipe le visage que sa tragédie nous a laissé à une époque et dans une culture où la réflexion philosophique a déjà ébranlé profondément le socle des croyances ancestrales, et continue plus puissamment que jamais de l'ébranler. Xénophane, Héraclite, Parménide, Anaxagore, Empédocle, Protagoras, Démocrite, etc., en rupture avec les explications mythiques qui légitimaient les cultes rendus aux dieux, ont inventé de nouveaux systèmes d'explication du monde. Qu'ils cherchent en « physicien » la substance fondamentale dans l'air, l'eau, ou le feu, qu'ils spéculent sur l'être ou sur l'atome, sur le mélange des corps élémentaires ou sur l'intelligence ordonnatrice, ils opposent leur propre doctrine aventureuse aux enseignements d'une tradition sacerdotale et ils récusent plus ou moins directement les dieux de leur peuple. »

Pistes de lecture

Œdipe philosophe – Selon toute une tradition, Œdipe est considéré comme LA figure inaugurale et symbolique du philosophe, c'est-à-dire celui qui **raisonne**, qui exerce son entendement, qui est du côté du *logos**, par opposition au prêtre, ou au devin, qui lui croit et se tient résolument dans le *muthos**. En témoigne bien sûr la manière dont il triomphe de la Sphinx, par l'exercice pur de son intelligence. Dans la pièce de Sophocle, Œdipe apparaît même, nous l'avons vu, comme une sorte de libre penseur, plutôt incrédule vis-à-vis des oracles, méprisant avec les devins, et assez désinvolte à l'égard des dieux eux-mêmes, dont il prétend se passer pour résoudre cette nouvelle énigme.

Apollon philosophe – Apollon, quant à lui, passe pour le dieu des philosophes. Pour quelle raison ? Parce que, comme le rappelle Jean-Joseph Goux, « c'est le dieu de la clarté, de la science pure, de la connaissance théoricienne. C'est lui qui accorde la distance d'avec les choses, la pureté de la vision nécessaires au savoir ». Dans *La Naissance de la tragédie* (1869-1872), le philosophe Friedrich Nietzsche (1844-1900) oppose les deux figures d'Apollon et de Dionysos, dont l'antithèse* lui paraît fondatrice.

« L'évolution de l'art est liée au dualisme de l'apollinisme et du dionysisme. [...] Dans le monde grec, il existe un contraste prodigieux, dans l'origine et dans les fins, entre l'art du sculpteur, ou art apollinien, et l'art non sculptural de la musique, celui de Dionysos. **»**

Friedrich Nietzsche, *La Naissance de la tragédie*,
Gallimard, coll. « Folio essai », 1989.

Au rêve apollinien s'oppose l'ivresse dionysiaque (on sait que Dionysos est, entre autres, le dieu du vin et des libations), à la clarté diurne apollinienne, l'obscurité nocturne dionysiaque, à la conscience et l'harmonie apolliniennes, l'inconscience et la confusion dionysiaques, à l'intellect apollinien, la sensibilité dionysiaque, etc.

Œdipe puni par Apollon – Œdipe philosophe, Apollon philosophe... Comment expliquer alors que, dans *Œdipe Roi*, ce soit justement Apollon qui punisse Œdipe ? Paradoxe seulement apparent : car si le dieu des philosophes châtie la figure symbolique de la philosophie, c'est qu'il en a perçu tout de suite l'excès, la démesure. Œdipe se situe bien sur le terrain d'Apollon, mais par son orgueil, son « infatuation », il en est comme la caricature, en même temps que la face inquiétante, menaçante. Dans cette interprétation, ce qu'Apollon condamne chez Œdipe, ce n'est donc pas la philosophie en tant que telle, mais sa prétention, son *hubris** ! Et qui, mieux que le patron des philosophes lui-même, pouvait se charger de ce procès ?

Le scandale philosophique – Ainsi, dès l'origine, la philosophie apparaît-elle dans son ambivalence fondamentale : modeste et désarmée («j'arrive, moi, Œdipe, ignorant de tout... », p. 43), et en même temps terriblement ambitieuse et satisfaite d'elle-même (« et c'est moi, moi seul, qui lui ferme la bouche, sans rien connaître des présages, par ma seule présence d'esprit», p. 43). Car tout cela doit être replacé dans son contexte : comme le rappelle J.-J. Goux, le siècle de Sophocle est aussi celui de la philosophie naissante. Et cette naissance ne va pas sans heurts ni scandales : nombreux sont les philosophes accusés d'impiété. À commencer par Socrate, contemporain de Sophocle, qui fut condamné à boire la ciguë !

à vous...

1 – Cherchez, en vous aidant du dictionnaire, le sens des expressions «infatuation cognitive» et «infatuation autodidacte». Expliquez en quoi elles s'appliquent parfaitement au personnage d'Œdipe.

2 – Formulez en une phrase l'idée principale développée dans le 4e §.

3 – Faites des recherches sur Socrate. D'après ce que vous aurez lu, dites en quoi il a pu apparaître comme la figure emblématique de la philosophie occidentale, mélange de modestie et d'orgueil, symbole de l'intelligence autodidacte et, au moins en cela, proche d'Œdipe.

7. Psychanalyse : Sigmund Freud

C'est incontestablement la psychanalyse, à la fin du XIXe siècle, qui a donné au mythe d'Œdipe un nouvel élan en même temps qu'une nouvelle signification, sous l'impulsion d'un médecin psychiatre autrichien, Sigmund Freud (1856-1939), dont les théories allaient révolutionner notre conception du «sujet» humain.

Sigmund Freud et son petit-fils.

Freud et la théorie psychanalytique

Il ne saurait être question de faire en quelques lignes le tour d'un système de pensée extraordinairement riche et complexe, et qui, de surcroît n'a cessé d'évoluer et de susciter des interprétations diverses voire contradictoires. Nous nous contenterons donc ici de définir quelques notions clefs, autour desquelles s'articule la théorie freudienne.

La première d'entre elles est incontestablement celle d'**inconscient.** Elle suppose l'existence d'un Moi profond, enfoui, qui dirige nos actes, nos pensées, nos désirs, etc., et auquel nous n'avons en principe pas accès. Ce que nous croyons être et faire volontairement n'est en réalité que l'effet d'un processus beaucoup plus large, qui nous échappe et nous dépasse. Comme le dit Freud : « Il faut voir dans l'inconscient le fondement de toute vie psychique. L'inconscient est pareil à un grand cercle qui enfermerait le conscient comme un cercle plus petit. » Parmi ces actes qui relèvent de l'inconscient, il en est qui sont parfaitement normaux et ne nous gênent pas vraiment dans notre vie : rêves, oublis, actes manqués, lapsus, etc. Mais d'autres, d'ordre pathologique, nous font plus ou moins souffrir : c'est le cas des **névroses**, qui sont des troubles du comportement, voire des **psychoses**, qui sont elles de véritables troubles de la personnalité, pouvant aller jusqu'à la folie.

Pour mieux comprendre le sens de ces manifestations de l'inconscient auxquelles chacun d'entre nous, à des degrés divers, est confronté quotidiennement, il faut décrire à présent le processus du **refoulement.** Il s'agit du mécanisme par lequel les « pensées » inconscientes sont, pour des raisons dont nous allons parler dans un instant, empêchées d'affleurer au niveau conscient. Il y a donc un conflit de forces contraires : celles qui poussent à l'extériorisation des contenus de l'inconscient, et celles qui, au contraire, refoulent ces contenus dans les profondeurs du Moi. Or, il arrive assez fréquemment que les secondes ne parviennent pas à maintenir la barrière, et que les premières réussissent à remonter à la surface et à se frayer un chemin à l'extérieur : c'est ce que Freud appelle le « retour du refoulé ». Tous ces gestes, toutes ces paroles, toutes ces pensées qui nous échappent peuvent donc être considérés comme autant d'expressions de notre inconscient, qui ont réussi à franchir le barrage du refoulement.

Mais pourquoi un tel barrage ? Pourquoi le refoulement ? Parce que le contenu de l'inconscient est constitué de **pulsions,** essentiellement d'ordre sexuel. Freud fait en effet de la **libido** (la recherche du plaisir sexuel) le fondement de notre vie psychique. Or, ces pulsions sexuelles peuvent se ramener à une seule, « idéale », qui est le désir de l'inceste, et dont toutes les autres ne sont que des substituts. On voit dès lors pourquoi le Moi s'oppose, dans la mesure de ses possibilités, à l'extériorisation des pulsions inconscientes : elles traduisent en effet le désir de transgresser un interdit fondamental, commun à toutes les sociétés.

Refoulées par le Moi, ces pulsions peuvent également faire l'objet de deux transformations : la **sublimation** et le **fantasme**. Dans la sublimation, le Moi parvient à dépasser le caractère sexuel de la pulsion en changeant sa cible : la pulsion trouve alors à se réaliser dans un substitut non sexuel (le travail, la création, etc.). Dans le fantasme, il s'agit de remplacer l'objet même de la pulsion – réel – par un objet tout aussi sexuel, mais pour ainsi dire virtuel, illusoire, fantasmé.

Avec le triple processus du refoulement, du dépassement ou de la transformation des pulsions, en raison de leur caractère libidinal (lié à la libido), lui-même associé au désir – interdit – de l'inceste, nous en arrivons tout naturellement au fameux **complexe d'Œdipe**. Disons-le tout net : qui chercherait dans l'œuvre de Freud un ouvrage, voire un texte qui proposerait une étude précise et détaillée du mythe d'Œdipe ou de la tragédie de Sophocle pour mieux asseoir la théorie, serait déçu ! Si le complexe d'Œdipe est peut-être LE concept fondamental de la doctrine freudienne, rares sont finalement les mentions du récit ou de la pièce auxquels il fait pourtant explicitement référence.

Extraits

« J'ai trouvé en moi comme partout ailleurs des sentiments d'amour envers ma mère et de jalousie envers mon père, sentiments qui sont, je pense, communs à tous les jeunes enfants… S'il en est bien ainsi, on comprend, en dépit de toutes les injonctions rationnelles qui s'opposent à l'hypothèque d'une inexorable fatalité, l'effet saisissant d'*Œdipe roi*… La légende grecque a saisi une compulsion que tous reconnaissent parce que tous l'ont ressentie. Chaque auditeur fut un jour en germe, en imagination, un Œdipe et s'épouvante devant la réalisation de son rêve transposé dans la réalité, il frémit suivant toute la mesure du refoulement qui sépare son état infantile de son état actuel. »

Sigmund Freud, lettre à Fliess du 15 octobre 1897,
in *La Naissance de la psychanalyse*.

« Si *Œdipe roi* émeut autant le lecteur ou l'acteur moderne que les contemporains de Sophocle, ne peut-on admettre que l'accent poignant de la tragédie grecque ne dépend pas de la lutte de l'homme contre le Destin, mais de la nature même de l'homme en qui se livre ce combat? Sans doute une voix en nous nous prédispose à reconnaître chez Œdipe la force contraignante du Destin...

Et, en réalité, il est un thème de l'histoire du Roi Œdipe qui explique la sentence de cette voix intérieure. Sa destinée nous émeut seulement parce qu'elle aurait pu être nôtre, parce que l'oracle qui a présidé à notre naissance fait peser sur nous et sur lui la même malédiction. Peut-être sommes-nous tous condamnés à diriger vers notre mère nos premières pulsions sexuelles; peut-être sommes-nous tous condamnés à diriger vers notre père nos premières pulsions de haine, nos premiers désirs d'opposition; et peut-être sont-ce nos rêves qui nous révèlent ce que nous sommes. Le Roi Œdipe, tuant son père Laïus et épousant sa mère Jocaste, ne fit rien d'autre que satisfaire un désir – le désir de notre enfance. Mais, plus fortunés que lui, dans la mesure où nous ne sommes point atteints de psychose ou de névrose, nous avons réussi à vaincre les pulsions sexuelles qui, depuis notre enfance, nous attirent vers notre mère, à oublier la jalousie que nous ressentions à l'égard de notre père. Ce Roi, en qui les désirs primitifs de l'enfance ont trouvé leur pleine satisfaction, nous fait horreur; et notre horreur se nourrit de toute la force qui a servi, depuis notre enfance, à chasser ces désirs de notre esprit. Mettant en pleine lumière la culpabilité d'Œdipe, le poète nous force à prendre conscience de notre Moi profond, où dorment toujours, quoique refoulées, les mêmes pulsions. Comme Œdipe, nous vivons ignorants des désirs qui font outrage à la moralité, ces désirs que la Nature nous a imposés et qui, une fois dévoilés à notre conscience, nous font détourner les yeux des scènes de notre enfance. »

Sigmund Freud, *L'Interprétation des rêves.*

« Par contre, l'observation psychanalytique nous l'apprend : se blesser les yeux ou perdre la vue est une terrible peur infantile. Cette peur a persisté chez beaucoup d'adultes qui ne craignent aucune autre lésion organique autant que celle de l'œil. N'a-t-on pas aussi coutume de dire qu'on couve une chose comme la prunelle de ses yeux? L'étude des rêves, des fantasmes et des mythes nous a encore appris que la crainte pour les yeux, la peur de devenir aveugle, est un substitut fréquent de la peur de la castration. Le châtiment que s'inflige Œdipe, le criminel mythique, quand il s'aveugle lui-même, n'est qu'une atténuation de la castration laquelle, d'après la loi du talion, seule serait à la mesure de son crime. »

Sigmund Freud,
Essais de psychanalyse appliquée.

Pistes de lecture

Freud voit dans le mythe et/ou la tragédie d'Œdipe une illustration parfaite de la **relation triangulaire** entre le petit enfant, le père et la mère.

En effet, nos pulsions sexuelles à la fois premières et fondatrices remontent à notre prime enfance. Cette sexualité infantile connaît trois phases (ou trois stades) : la phase orale, la phase anale et la phase phallique. C'est au cours de cette dernière, vers trois ou quatre ans, qu'apparaît véritablement le complexe d'Œdipe. Il convient ici d'apporter une précision : le terme de « complexe » est souvent mal interprété ; il ne s'agit pas d'on ne sait quelle dévaluation de soi (faire un complexe, avoir des complexes), mais d'un système d'affections qui se caractérise, justement, par sa... complexité ! Le stade phallique, comme son nom l'indique, est caractérisé par l'émergence du phallus (du pénis) comme source principale de plaisir. Pour le petit garçon, c'est la mère qui est l'objet fantasmé du désir, en même temps que son interdit. Quant au père, il constitue l'obstacle majeur à la relation fils/mère, le rival haï, qui menace l'enfant de castration (tout cela se situe, on l'aura compris, à un niveau inconscient et fantasmatique), suscitant chez ce dernier un vif sentiment d'angoisse. Encore faut-il ajouter que l'enfant n'éprouve pas à l'égard du père que jalousie et haine. S'y mêle également l'idéalisation, qui débouche sur l'identification : l'enfant admire le père, modèle auquel il aimerait ressembler, qu'il aimerait être. Cette superposition de la **rivalité** et de l'**idéalisation** amène l'enfant à se projeter dans une pure et simple substitution, à désirer remplacer le père auprès de la mère. Par la suite, il lui appartiendra de dépasser « son Œdipe », c'est-à-dire de se réconcilier avec le rival – le père –, de renoncer à l'objet interdit – la mère –, et de lui trouver des substituts – les autres femmes.

Freud ne manque pas d'exposer également le processus de l'Œdipe féminin. Si celui-ci est différent du masculin, pour des raisons aisées à comprendre, il nous suffit cependant ici de retenir que l'objet du désir de la petite fille est bien, symétriquement, le père, et sa rivale la mère.

à vous...

1 – Après avoir lu attentivement les extraits qui précèdent :

***a* – Expliquez en quoi la lecture freudienne de la tragédie de Sophocle modifie profondément son sens et sa portée. Quelles sont, en particulier, les implications de cette lecture sur le problème de la faute et de la responsabilité ?**

***b* – Expliquez l'assimilation de la mutilation d'Œdipe à une autocastration.**

2 – Relisez à présent l'extrait du découpage et des dialogues du film de Pier Pasolini (Œdipe au XXe siècle). Relevez les références explicites ou implicites à la théorie psychanalytique.

8. Histoire : Jean-Pierre Vernant, « Œdipe sans complexe »

Au premier rang de ceux qui ont pu déplorer que la théorie freudienne ait recouvert le mythe et la tragédie, et qui se sont efforcés de leur restituer leur signification et leur portée originelles, il faut citer les historiens et les anthropologues.

Ce n'est pas un hasard si le grand helléniste (spécialiste de l'Antiquité grecque) Jean-Pierre Vernant intitule l'un de ses articles sur le sujet : « Œdipe sans complexe » (publié dans la revue *Raison présente* en 1967, repris dans J.-P. Vernant et P. Vidal-Naquet, *Œdipe et ses mythes*).

J.-P. Vernant s'oppose nettement aux psychanalystes, auxquels il reproche de se servir du mythe et de l'œuvre comme de simples prétextes, sans chercher à les comprendre de l'intérieur :

« Ce sens n'est pas celui que recherchent l'helléniste et l'historien, un sens présent dans l'œuvre, inscrit dans ses structures, et qu'il faut laborieusement reconstruire par une étude à tous les niveaux du message que constitue un récit légendaire ou une fiction tragique. »

« Œdipe sans complexe ».

Le décor est planté, la perspective dessinée, les enjeux annoncés : il s'agit de faire retour au récit légendaire et à la fiction tragique, et de les étudier dans leur contexte – Athènes au Ve siècle avant J.-C.

Extrait

« Vénéré à l'égal d'un dieu, maître incontesté de justice, tenant entre ses mains le salut de toute la cité, tel est, placé au-dessus des autres hommes, le personnage d'Œdipe le Savant, qui à la fin du drame se renverse pour se projeter en une figure contraire : au dernier échelon de la déchéance apparaît Œdipe-Pied enflé, abominable souillure, concentrant sur soi toute l'impureté du monde. Le roi divin, purificateur et sauveur de son peuple, rejoint le criminel souillé qu'il faut expulser comme un *pharmakos*, un bouc émissaire, pour que la ville, redevenue pure, soit sauvée. [...]

Thèbes souffre d'un *loimós* [fléau] qui se manifeste suivant le schéma traditionnel par un tarissement des sources de la fécondité : la terre, les troupeaux, les femmes n'enfantent plus, cependant qu'une pestilence décime les vivants. Stérilité, maladie, mort, sont ressenties comme une même puissance de souillure, un *miasma* qui a dérèglé tout le cours normal de la vie. Il s'agit donc de découvrir le criminel qui *est* la souillure de la cité, son *ágos*, afin de chasser le mal à travers lui. C'est, on le sait, ce qui se produisit à Athènes, au VIIe siècle, pour expier le meurtre impie de Kylon, quand on chassa les Alcméonides, déclarés impurs et sacrilèges [...].

Mais il existe aussi à Athènes, comme en d'autres cités grecques, un rite annuel qui vise à expulser périodiquement la souillure accumulée au cours de l'année écoulée. « C'est l'usage à Athènes, rapporte Helladios de Byzance, de processionner deux *pharmakoí* en vue de la purification, un pour les hommes, l'autre pour les femmes... » D'après la légende, le rite trouverait son origine dans le meurtre impie commis par les Athéniens sur la personne d'Androgée le Crétois : pour chasser le *loimós* déclenché par le crime, on institua la coutume d'une purification constante par les *Pharmakoí*. La cérémonie avait lieu le premier jour de la fête des Thargélies, le 6 du mois *Thargelión*. Les deux *pharmakoí* portant des colliers de figues sèches (noires ou blanches suivant le sexe qu'ils représentaient) étaient promenés à travers toute la ville; on les frappait sur le sexe avec des oignons de scille, des figuiers et d'autres plantes sauvages, puis on les expulsait; peut-être même, au moins à l'origine, étaient-ils mis à mort par lapidation, leur cadavre brûlé, leurs cendres dispersées. Comment étaient choisis les *pharmakoí*? Tout laisse à penser qu'on les recrutait dans la lie de la population, parmi les *kakoûrgoi*, gibier de potence que leurs méfaits, leur laideur physique, leur basse condition, leurs occupations viles et répugnantes, désignaient comme des êtres inférieurs, dégradés, *phaûloi*, le rebut de la société. [...]

Ces détails devaient d'autant plus aisément imposer aux spectateurs de la tragédie le rapprochement avec le rituel athénien qu'Œdipe est présenté de façon explicite comme l'*ágos*, la souillure qu'il faut expulser. Dès ses premiers mots, il se définit lui-même, sans le vouloir, en des termes qui évoquent le personnage du bouc émissaire : « Je sais bien, dit-il aux suppliants, que vous souffrez tous; et, souffrant ainsi, il n'y en a pas un qui souffre autant que moi. Car votre douleur n'atteint chacun d'entre vous qu'en tant qu'il est seul par lui-même, et personne d'autre, mais ma personne gémit à la fois sur la ville, sur moi et sur toi. » Et un peu plus loin : « Je porte le malheur de tous ces hommes davantage que s'il était le mien propre. » Œdipe se trompe : ce mal, auquel Créon donne aussitôt son vrai nom en l'appelant *miasma*, est précisément le sien propre. Mais en se trompant, il dit à son insu la vérité : parce qu'il est lui-même, en tant que *miasma*, l'*ágos* de la cité, Œdipe porte effectivement le poids de tout le malheur qui accable ses concitoyens.

Roi divin-pharmakós : telles sont donc les deux faces d'Œdipe, qui lui confèrent son aspect d'énigme en réunissant en lui, comme dans une formule à double sens, deux figures inverses l'une de l'autre. [...]

La symétrie du *pharmakós* et du roi légendaire, le premier assumant par en bas un rôle analogue à celui que joue le second par le haut, éclaire peut-être une institution comme l'ostracisme dont J. Carcopino a souligné le caractère à bien des égards étrange. Dans le cadre de la cité grecque, il n'y a plus place, on le sait, pour le personnage du roi, maître de la fécondité. Quand est institué l'ostracisme athénien, à la fin du VIe siècle, c'est la figure du tyran qui a hérité, en les transposant, de certaines des valeurs religieuses propres à l'ancien souverain. L'ostracisme vise en principe à écarter celui des citoyens qui, s'étant élevé trop haut, risque d'accéder à la tyrannie. Mais, sous cette forme toute positive, l'explication ne saurait rendre compte de certains traits archaïques de l'institution. Elle fonctionne tous les ans, sans doute entre la sixième et la huitième prytanie, et suivant des règles contraires aux procédures ordinaires de la vie politique et du droit. L'ostracisme est une condamnation qui vise à « écarter de la cité » un citoyen par un exil temporaire de dix ans. Elle est prononcée en dehors des tribunaux, par l'assemblée, sans qu'il y ait eu dénonciation publique ni même accusation formulée contre quiconque. Une première séance préparatoire décide à main levée s'il y aura lieu ou non d'utiliser, pour l'année en cours, la procédure d'ostracisme. Aucun nom n'est prononcé, aucun débat n'intervient. Si les votants s'y sont déclarés favorables, l'assemblée se réunit de nouveau en séance exceptionnelle quelque temps plus tard. Elle siège sur l'Agora et non comme d'ordinaire sur la Pnyx. Pour procéder au vote proprement dit, chaque participant inscrit sur un tesson de poterie le nom de son choix. Cette fois encore aucun débat; aucun nom n'est proposé; il n'y a ni accusation ni défense. Le vote se produit sans qu'il soit fait appel à aucun ordre de raison, soit politique, soit juridique. Tout est organisé pour donner au sentiment populaire que les Grecs nomment *phthónos* (à la fois envie et méfiance religieuse à l'égard de qui monte trop haut, réussit trop bien) l'occasion de se manifester sous la forme la plus spontanée et la plus unanime (il faut au moins 6000 votants), en dehors de toute règle de droit et de toute justification rationnelle. Que reproche-t-on à l'ostracisé, sinon ses supériorités mêmes qui l'élèvent au-dessus du commun et sa trop grande chance qui risque d'attirer sur la ville la vindicte divine. La crainte de la tyrannie se confond avec une appréhension plus profonde, d'ordre religieux, à l'égard de qui met tout le groupe en péril. Comme l'écrit Solon : « Une cité périt de ses hommes trop grands. » **»**

Quelques pistes de lecture

Ainsi, selon J.-P. Vernant, on retrouve dans *Œdipe Roi* l'écho de deux pratiques culturelles, religieuses et politiques de la Grèce antique : celle du ***pharmakós***, et celle de l'**ostracisme**.

La première qui consistait à « charger de tous les péchés du monde » un individu – généralement peu recommandable (afin que l'injustice ne paraisse pas trop flagrante), lequel, après avoir été entretenu à grands frais, nourri, choyé, durant une année entière, était cérémonieusement expulsé de la cité (et parfois même mis à mort) –, en sorte qu'il emporte avec lui les souillures du groupe et le purifie. Ce dernier mot est important : le bouc émissaire est en effet souillé, et en même temps purificateur (et purificateur parce que souillé). Or, cette ambivalence peut éclairer d'une lumière particulière le passage d'*Œdipe Roi* à *Œdipe à Colone* : la métamorphose de l'Œdipe misérable et maudit de Thèbes en l'Œdipe divin et sacré d'Athènes correspond en fait au double aspect du *pharmakós*. C'est ce qui explique aussi que la figure d'Œdipe ait pu si aisément devenir symbole du sacrifice, jusqu'à sa christianisation ultérieure : le Christ n'est-il pas celui qui, à l'image du *pharmakós*, « rachète » les fautes de l'Homme ? Il existe cependant une différence fondamentale, que nous verrons un peu plus loin, lorsque nous parlerons de l'analyse de René Girard.

L'autre pratique à laquelle le destin d'Œdipe renvoie implicitement est l'ostracisme, qui consistait à exiler de la cité celui qui tendait à y prendre trop de pouvoir. Nous retrouvons ici la question de la tyrannie, et de l'inévitable transformation du sauveur en oppresseur.

Un dernier mot sur ce sujet, qui concerne les crimes d'Œdipe : J.-P. Vernant rappelle opportunément que le double statut du héros – divin/bestial, ostracisé/*pharmakós* – se retrouve dans le parricide et l'inceste, interdits fondamentaux communs aux hommes, mais qui n'existent ni chez les dieux ni chez les animaux.

à vous...

1 – Recherchez l'origine de l'expression « bouc émissaire ».

2 – Dans les 2e § et 3e §, quelle différence voyez-vous entre les exemples donnés par l'auteur d'expulsion de *pharmakoi* à la suite d'événements particuliers (meurtres, etc.) et la pratique rituelle des Thargélies instituée à Athènes ?

3 – Dans le 6e §, J.-P. Vernant décrit l'ostracisme. À partir de : « Mais, sous cette forme toute positive... », sur quel aspect de cette pratique l'auteur insiste-t-il ? Quelle relation ambiguë observez-vous entre l'ostracisme et la démocratie ?

4 – Si la pratique du bouc émissaire a perdu peu à peu de son caractère rituel et institutionnel, elle n'a pas disparu pour autant. Pouvez-vous en donner des exemples dans l'histoire moderne ?

9. Anthropologie : René Girard, *La Violence et le Sacré*

Proche de l'ethnologie (l'étude des sociétés primitives) qu'elle englobe, l'anthropologie peut être définie, au sens large, comme l'étude de l'homme en société (en grec, *anthropos* signifie « l'homme »). Or, comme la plupart des grands mythes, nous l'avons vu, l'histoire d'Œdipe n'est pas un simple récit fabuleux, propre à une société particulière à une époque particulière. Par sa structure narrative, par les thèmes qu'il aborde, par les images qu'il véhicule, il touche aux questions les plus fondamentales de la vie intérieure, mais également aux fondements de la vie sociale. L'anthropologie devait donc inévitablement rencontrer Œdipe.

Anthropologue et philosophe, René Girard (né en 1923) n'a cessé, tout au long de son œuvre, de reprendre, développer, approfondir, et appliquer à des objets divers (pratiques sociales et culturelles, mythes, œuvres littéraires, textes religieux...) une théorie générale dont le point de départ est une analyse du rapport entre la violence et le sacré dans les sociétés archaïques et le point d'aboutissement une réflexion sur la révélation – et en même temps la révolution – chrétienne.

La thèse de René Girard peut se résumer ainsi : tout groupe humain est confronté à la violence. Celle-ci naît des rivalités, suscitées par ce que l'auteur appelle le « désir mimétique » : nous croyons désirer un objet ; en réalité nous désirons ce que l'autre désire. Dans tous les domaines, y compris la vie amoureuse, c'est donc l'envie, la jalousie, qui la plupart du temps dirigent et déterminent nos appétences. Très vite, la violence engendrée par cette concurrence s'étend, générale et réciproque, et finit par menacer la cohésion du groupe. Les premières sociétés ont résolu ces « crises mimétiques » par le sacrifice d'un bouc émissaire : victime d'abord chargée de tous les péchés, puis exécutée, comme nous l'avons vu précédemment. Peu à peu, des simulacres ont remplacé le meurtre réel : cette phase correspondrait à la naissance des rites, des mythes chargés de les légitimer, et donc du sacré en général. Cette sacralisation du meurtre sacrificiel se manifeste aussi (outre la ritualisation et le simulacre) par la sacralisation du bouc émissaire : la purification par le meurtre de la victime fait de cette dernière une instance purificatrice, même si c'est à son corps défendant. C'est ce que nous avons également vu un peu plus haut dans l'ambivalence du *pharmakós*, à la fois exclu et sauveur de la cité.

Le second axe de la pensée de René Girard substitue à l'étude anthropologique la réflexion philosophique et la pensée religieuse, et ne nous concerne ici qu'indirectement. Disons simplement que, pour Girard, le rituel du bouc émissaire se révèle incapable, à long terme, d'enrayer la spirale de la violence mimétique. Seul le christianisme le peut, par une rupture radicale, en affirmant l'innocence de la victime émissaire, et donc en délégitimant le meurtre sacrificiel.

Quoi qu'il en soit, il n'était pas surprenant qu'Œdipe croise, à un moment ou à un autre, la route de René Girard, tant le roi de Thèbes s'identifie, nous l'avons vu, à la figure du bouc émissaire. De fait, au moins un chapitre entier de *La Violence et le Sacré* – « Œdipe et la victime émissaire » – lui est consacré.

Extrait

« Une idée étrange, presque fantastique, ne peut manquer, en ce point, de traverser notre esprit. Si nous éliminons les témoignages qui s'accumulent contre Œdipe dans la seconde partie de la tragédie, nous pouvons nous imaginer que, loin d'être la vérité qui tombe du ciel pour foudroyer le coupable et éclairer tous les mortels, la conclusion du mythe n'est que la victoire camouflée d'un parti sur un autre, le triomphe d'une lecture polémique sur sa rivale, l'adoption par la communauté d'une version des événements qui n'appartient d'abord qu'à Tirésias et à Créon, et qui n'appartient qu'ensuite à tous et à personne, étant devenue la vérité du mythe lui-même. [...]

À la violence réciproque partout répandue, le mythe substitue la transgression formidable d'un individu unique. Œdipe n'est pas coupable au sens moderne mais il est responsable des malheurs de la cité. Son rôle est celui d'un véritable bouc émissaire humain.

Sophocle fait prononcer à Œdipe, dans la conclusion, les paroles les plus aptes à rassurer les Thébains, à les convaincre, c'est-à-dire qu'il ne s'est rien passé dans leur ville dont la victime émissaire ne soit la seule responsable, et dont elle ne doive seule payer les conséquences : « Ah ! croyez-moi, n'ayez pas peur : mes maux à moi, il n'est point d'autre mortel qui soit fait pour les porter. »

Œdipe est le responsable par excellence, tellement responsable, en vérité, qu'il ne reste plus de responsabilité pour personne d'autre. L'idée de la peste résulte de ce manque. La peste c'est ce qui reste de la crise sacrificielle quand on l'a vidée de toute sa violence. La peste nous introduit déjà dans le climat de la médecine microbienne dans le monde moderne. Il n'y a plus que des malades. Personne n'a de compte à rendre à personne, hormis Œdipe bien entendu.

Pour délivrer la cité entière de la responsabilité qui pèse sur elle, pour faire de la crise sacrificielle la peste, en la vidant de sa violence, il faut réussir à transférer cette violence sur Œdipe, ou plus généralement sur un individu unique. Tous les protagonistes, dans le débat tragique s'efforcent d'opérer ce transfert. L'enquête au sujet de Laïos, on l'a vu, est une enquête au sujet de la crise sacrificielle elle-même. Il s'agit toujours d'épingler la responsabilité du désastre sur un individu particulier, de répondre à la question mythique par excellence : « Qui a commencé ? » Œdipe ne réussit pas à fixer le blâme sur Créon et Tirésias mais Créon et Tirésias réussissent parfaitement à fixer ce même blâme sur Œdipe. L'enquête tout entière est une chasse au bouc émissaire qui se retourne, en fin de compte, contre celui qui l'a inaugurée.

Après avoir oscillé entre les trois protagonistes, l'accusation décisive finit par se fixer sur l'un d'entre eux. Elle aurait pu aussi bien se fixer sur un autre. Elle aurait pu ne pas se fixer du tout. Quel est le mécanisme mystérieux qui réussit à l'immobiliser ?

L'accusation qui va désormais passer pour « vraie » ne se distingue en rien de celles qui vont désormais passer pour « fausses », à ceci près qu'aucune voix ne s'élève plus pour contredire qui que ce soit. Une version particulière des événements réussit à s'imposer ; elle perd son caractère polémique pour devenir la vérité du mythe, le mythe lui-même. La fixation mythique doit se définir comme un phénomène d'unanimité. »

Pistes de lecture

René Girard voit donc dans Œdipe un exemple parfait de victime sacrificielle. Il y a cependant un obstacle à lever pour que le système interprétatif fonctionne. Lorsque nous pensons bouc émissaire, nous envisageons toujours un individu victime injustement de la haine collective (même s'il existe des degrés dans l'injustice : la victime peut être parfaitement innocente, ou « pas plus coupable que les autres »). Dans le cas d'Œdipe, il est évident que ses crimes sont *a priori* monstrueux. Girard doit donc, pour en faire une victime émissaire, le disculper au moins partiellement, c'est-à-dire affirmer qu'il ne faut pas prendre au pied de la lettre ces deux « événements » que sont le parricide et l'inceste. On retrouve ici, par certains aspects, la démarche d'un Corneille, d'un Voltaire ou d'un Cocteau, qui eux aussi, pour les besoins de leur démonstration, s'efforçaient de réduire, voire d'effacer purement et simplement la faute d'Œdipe.

En démontrant que la violence, dans la tragédie de Sophocle, est générale et réciproque, et que finalement ce n'est jamais qu'un parti, ou une version des faits, qui l'emporte sur l'autre, Girard suggère que ce qui importe, c'est le processus par lequel la véracité du mythe s'instaure, légitimant ainsi le meurtre sacrificiel : ce n'est pas parce qu'il a tué son père et épousé sa mère qu'Œdipe doit être sacrifié, c'est parce qu'il faut sacrifier quelqu'un (et le roi, surtout lorsqu'il est un tyran, est un bouc émissaire idéal) qu'on le charge du parricide et de l'inceste, les crimes par excellence. On retrouvera d'ailleurs par la suite le thème de la sacralisation du bouc émissaire d'abord chargé de souillures, puis agent purificateur, dans le passage d'*Œdipe Roi* à *Œdipe à Colone*.

à vous...

En quoi les analyses de Jean-Pierre Vernant et celles de René Girard se rejoignent-elles ? En quoi diffèrent-elles ?

10. Claude Lévi-Strauss, *Anthropologie structurale*

Nous terminerons ce parcours par l'ethnologue et anthropologue Claude Lévi-Strauss (né en 1908), grand spécialiste des mythes, et qui illustre par une analyse originale du mythe d'Œdipe la méthode structuraliste dont il fut, il y a quelques décennies, l'un des initiateurs. Voici le tableau que Lévi-Strauss dessine pour figurer la structure du mythe, ainsi que le commentaire qui l'accompagne :

Extrait

«

Cadmos cherche sa sœur Europe, ravie par Zeus.			
		Cadmos tue le dragon.	
	Les Spartoï s'exterminent mutuellement.		
			Labdacos (père de Laïos) = « boiteux » (?)
	Œdipe tue son père Laïos.		Laïos (père d'Œdipe) = « gauche » (?)
		Œdipe immole le Sphinx.	Œdipe = « pied-enflé » (?)
Œdipe épouse Jocaste, sa mère.			
	Étéocle tue son frère Polynice.		
Antigone enterre Polynice, son frère, violant l'interdiction.			

Toutes les relations groupées dans la même colonne présentent, par hypothèse, un trait commun qu'il s'agit de dégager. Ainsi, tous les incidents réunis dans la première colonne à gauche concernent des parents par le sang, dont les rapports de proximité sont, pourrait-on dire, exagérés : ces parents font l'objet d'un traitement plus intime que les règles sociales ne l'autorisent. Admettons donc que le trait commun à la première colonne consiste dans des *rapports de parenté surestimés*. Il apparaît aussitôt que la deuxième colonne traduit la même relation, mais affectée du signe inverse : *rapports de parenté sous-estimés* ou *dévalués*. La troisième colonne concerne des monstres et leur destruction. Pour la quatrième, quelques précisions sont requises. Le sens hypothétique des noms propres dans la lignée paternelle d'Œdipe a été souvent remarqué. Mais les linguistes n'y prêtent guère d'importance puisqu'en bonne règle, le sens d'un terme ne peut être défini qu'en le replaçant dans tous les contextes où il est attesté. Or, les noms propres sont, par définition, hors contexte. La difficulté pourrait apparaître moins grande avec notre méthode, car le mythe y est réorganisé de telle façon qu'il se constitue lui-même comme contexte. Ce n'est plus le sens éventuel de chaque nom pris isolément qui offre une valeur significative, mais le fait que les trois noms aient un caractère commun : à savoir, de comporter des significations hypothétiques, et qui toutes évoquent une *difficulté à marcher droit*. »

Pistes de lecture

En quoi consiste cette fameuse méthode structuraliste, qui connut une grande vogue dans les années 1960-1970, que ce soit en linguistique, en philosophie, en anthropologie, en psychanalyse, ou en littérature ?

Il s'agit d'analyser un objet – système social, mode de pensée, texte littéraire, ou encore, comme ici, mythe – en dégageant la structure (c'est-à-dire l'organisation, le système de relations) cachée ou inconsciente qui régit cet objet.

Lévi-Strauss propose du mythe d'Œdipe (qu'il fait remonter à Cadmos, le fondateur de Thèbes) une lecture pour ainsi dire « verticale » (d'où les colonnes du tableau), qui révèle des répétitions, des thèmes récurrents, que la lecture traditionnelle, linéaire, « horizontale » ne permettait pas nécessairement de faire apparaître.

On notera, par exemple, le retour d'un thème particulier : celui de la « boiterie ». *Labdacos* signifie en grec : « le boiteux » ; Laïos apparaît comme un « déviant » sexuel : il viole Chrysippe, le fils du roi Pélops qui l'a recueilli ; Œdipe signifie : « pied enflé ». Si l'on ajoute que l'énigme de la Sphinx a également trait à la marche, on voit que ce motif est loin d'être neutre. Quant à la signification symbolique à donner à cette « difficulté à marcher droit », elle variera selon les interprétations : signe de la défaveur des dieux, condamnation de la tyrannie comme système politique « boiteux » (nous dirions aujourd'hui : bancal), etc. D'une certaine façon, là n'est pas la question essentielle. C'est en effet, rappelons-le, sur une méthode d'analyse plus que sur une interprétation précise que Lévi-Strauss tient à insister ici.

Quelques *Œdipe*

	Antiquité
vers 750 av. J.-C.	**Homère**, *Odyssée*
vers 430 av. J.-C.	**Sophocle**, *Œdipe Roi*
vers 406 av. J.-C.	**Sophocle**, *Œdipe à Colone*
Ier siècle ap. J.-C.	**Sénèque**, *Œdipe*
	XVIIe et XVIIIe siècles
1614	**Jean Prévost**, *Edipe*
1659	**Pierre Corneille**, *Œdipe*
1679	**Henry Purcell**, musique pour *Œdipe Roi* de Sophocle
1718	**Voltaire**, *Œdipe*
1726	**Antoine Houdar de La Motte**, *Œdipe*
1730	**De La Tournelle**, *Œdipe ou les trois fils de Jocaste*
1731	**De La Tournelle**, *Œdipe et Polibe*
	De La Tournelle, *Œdipe ou l'ombre de Laios*
1787	**Nicolas François Quillard**, *Œdipe à Colone*, livret d'opéra
1799	**Nicola Antonio Zingarelli**, *Œdipe à Colone*, opéra
	XIXe siècle
1804	**Friedrich Hölderlin**, *Remarques sur Œdipe*
1818	**Marie-Joseph Chénier**, *Œdipe Roi*, *Œdipe à Colone*
1845	**Félix Mendelssohn-Bartholdy**, *Œdipe à Colone*, musique de scène
1860	**Moussorgski**, *Œdipe Roi*, chœur mixte
	XXe siècle
1903	**Le sâr Péladan**, *Œdipe et le Sphinx*, drame
1906	**Hugo von Hofmannsthal**, *Œdipus und die Sphinx*
1920	**Ruggero Leoncavallo**, *Œdipe Roi*, opéra
1927	**Igor Stravinski**, *Œdipus Rex*, opéra, livret de Jean Cocteau traduit en latin

1931	**André Gide**, *Œdipe*
1934	**Jean Cocteau**, *La Machine infernale*
1953	**Alain Robbe-Grillet**, *Les Gommes*
1956	**Michel Butor**, *L'Emploi du Temps*
1967	**Pier Paolo Pasolini**, *Edipo Re*
1978	**Jean Anouilh**, *Œdipe ou le Roi boiteux*
1990	**Henry Bauchau**, *Œdipe sur la route*
1994	**Didier Lamaison**, *Œdipe Roi*

Conclusion

Que conclure au terme de cette étude ? Près de trois mille ans séparent Henry Bauchau d'Homère, et nous avons pu suivre – parfois au pas de course, mais rien ne vous empêche de revenir à présent sur les lieux d'une étape, et de vous y attarder un peu – les grandes lignes de ce parcours. Pourtant, Œdipe n'est pas né au VIIIe siècle avant Jésus-Christ, et n'est pas mort en cette fin de deuxième millénaire. Qui connaît son origine première ? Qui sait quand ses ressources s'épuiseront ? Paradoxe apparent : le mythe d'Œdipe a une histoire mais n'a pas d'âge. Comme tous les mythes primitifs devenus mythes littéraires, il appartient au temps des hommes et au temps des dieux, à la fois ancré dans son (ou plutôt dans ses) époque(s) et intemporel. Ainsi, pour que, de loin en loin, des hommes aient pu trouver dans le destin du roi de Thèbes les résonances de leurs propres préoccupations, pour que chaque siècle en somme ait eu son Œdipe, il a fallu en même temps que quelque chose demeure, inaltérable et hors contexte, presque éternel et quasiment universel.

Presque... quasiment.. Ces nuances sont nécessaires. Comme le rappelle opportunément Roland Barthes, « on peut concevoir des mythes très anciens, il n'y en a pas d'éternels ; car c'est l'histoire humaine qui fait passer le réel à l'état de parole, c'est elle et elle seule qui règle la vie et la mort du langage mythique » (Roland Barthes, « Le Mythe aujourd'hui », in *Mythologies*) : propos évidemment rationaliste, qui suppose une distance d'avec le mythe, conçu non plus comme récit sacré auquel on adhère, mais comme objet de plaisir et/ou d'étude.

Ce point de vue a naturellement été le nôtre tout au long du voyage que nous venons d'effectuer, voyage dans le temps, donc, voyage historique, qui nous a permis de découvrir des paysages différents et changeant, comme il se doit, selon les saisons. Nous avons visité le site politique, où ont surgi du lointain passé de la Grèce antique les figures du *pharmakós* et du tyran ostracisé, mais où a également retenti l'écho des débats juridiques et idéologiques de l'âge classique, ou encore des inquiétudes modernes face à la guerre et au totalitarisme. Sur le site esthétique, se sont rappelées à notre souvenir les réflexions et les controverses sur le théâtre – singulièrement le genre tragique : sa forme, ses règles, ses enjeux, sa visée... Nous nous sommes également aventurés dans les régions de la philosophie, dont Œdipe a pu, à juste titre, apparaître comme la figure emblématique, dans sa quête solitaire, à la fois angoissée, désespérée et terriblement orgueilleuse. Et nous n'avons bien entendu pas oublié le cabinet de l'analyste, qui nous a permis de préciser le sens de ce fameux « complexe », dont tout le monde a vaguement entendu parler.

Sur cet itinéraire, disons-le sans détours, deux sommets dominent : Sophocle et Freud. Le premier est le véritable fondateur du mythe, et ce n'est pas seulement parce que son Œdipe est le plus ancien qui nous soit parvenu. Tout ou presque est déjà dans *Œdipe Roi* : la **dimension politique**, la **dimension métaphysique** et la **dimension psychologique**. Ses successeurs ne feront au mieux que s'engager plus avant dans l'une ou l'autre de ces voies.

Le but de Freud n'était certes pas de proposer une analyse de la tragédie, et il est donc absurde de lui reprocher d'en avoir modifié le sens. Il n'en reste pas moins que, paradoxalement peut-être, la relation mère-fils-père en était demeurée, au fil des siècles, la face la moins explorée. Comme si une sorte de gêne, la crainte obscure de transgresser un tabou, l'effroi devant l'Indicible, avaient inconsciemment empêché les auteurs de développer et d'approfondir ce motif, qui s'était trouvé du coup – confirmant en cela l'hypothèse freudienne – littéralement *refoulé*.

Quoi qu'il en soit, entre ces deux Himalaya, les autres reliefs font parfois pâle figure. C'est peut-être que ces deux-là ont su – plus : ont voulu –, précisément, s'arracher, au moins partiellement, à l'Histoire, au temps des hommes. La pièce de Sophocle bruit de la rumeur de son siècle, siècle extraordinaire s'il en fut, qui voit l'émergence simultanée du théâtre, de la philosophie et de la démocratie ; mais elle est aussi, justement, un appel à se délivrer de la fascination complaisante, narcissique, que ce siècle pouvait exercer sur ses propres acteurs. Et Freud lui-même – lui a-t-on assez reproché ! – ne cesse de le répéter : ce dont il parle est le lot commun de tous les hommes, toutes catégories et toutes classes confondues. En définitive, Œdipe est sa propre réponse à l'énigme de la Sphinx : l'homme.

Au reste, la recherche obstinée d'une contradiction entre les deux lectures du mythe – celle de Sophocle et celle de Freud – a quelque chose d'artificiel et, à y bien réfléchir, les points communs sont plus nombreux qu'il n'y paraît. À commencer par un pessimisme foncier sur la condition humaine, que ni le renversement d'*Œdipe à Colone*, ni l'horizon thérapeutique de l'analyse ne parviennent à gommer tout à fait. Ce ne sont pas tant les crimes d'Œdipe-l'homme (parricide et inceste, réels ou fantasmés), ni même sa destinée fatale et son issue atroce, qui témoignent de ce pessimisme, mais cet amer constat, sur lequel s'accordent et le dramaturge grec et le médecin viennois : l'homme est condamné soit à l'infirmité de l'aveugle, qui ne sait rien de lui-même, soit à la lucidité désespérante du philosophe, conscient d'être pour lui-même une énigme insoluble. Il est arrivé à Freud de comparer la psychanalyse à une peste. La peste du soupçon avec lequel l'homme doit vivre désormais, comme la peste d'*Œdipe Roi* qui marque la fin d'une illusion, illusion d'un bonheur construit sur un crime, ou plutôt sur l'oubli d'un crime, son refoulement. Œdipe n'effacera pas ses fautes, pas plus que le sujet ne fera disparaître ses névroses par enchantement : il s'agit de vivre avec elles. Ni l'enquête œdipienne ni la « cure » psychanalytique n'ont la prétention ou l'espoir d'apporter un bonheur nouveau, pas davantage de ressusciter l'ancien. Tout au plus portent-elles en elles la promesse – qui peut paraître décevante mais c'est déjà beaucoup – d'une forme de sagesse.

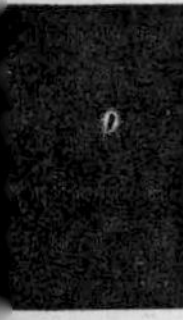

Annexes

De vous à nous

Arrêt sur lecture 1 (p. 58)

1 – Après avoir rendu un hommage appuyé au roi, comme à celui qui, jadis, a sauvé la cité, le prêtre change de ton. À partir de « nous t'implorons », les impératifs se multiplient. « Prends garde pour toi-même » est une phrase lourde de menace. Le rappel des exploits passés devient alors une sorte de défi à relever : « Ce que tu fus, sois-le encore. » Plus encore, la formule « redresse cette ville définitivement » laisse entendre que la tâche accomplie autrefois était insuffisante, qu'elle demeure inachevée. Le souverain est donc sommé de légitimer à nouveau son pouvoir. Et l'éventualité ironique selon laquelle Œdipe pourrait être amené à régner sur un désert suggère également une sorte de relation dialectique entre le souverain et ses sujets, chacun ayant besoin de l'autre (qu'est-ce qu'un roi sans peuple ?).

2 – L'entretien entre Créon et Œdipe se déroule en quatre temps. Les trois premiers constituent un véritable interrogatoire, de plus en plus pressant : les questions d'Œdipe portent d'abord sur l'oracle, puis sur le meurtre (la victime, puis les assassins), et enfin sur l'enquête, ou plutôt son absence. On passe ainsi insensiblement du simple souci d'informations aux reproches. Le quatrième temps est celui de l'engagement d'Œdipe.

3 – Comme le dialogue précédent avec Créon, la confrontation avec Tirésias peut se décomposer en quatre parties, l'ensemble présentant une symétrie assez rigoureuse. C'est d'abord l'interrogatoire mené par Œdipe et la dérobade de Tirésias, laquelle met bientôt en fureur le roi, qui accuse nettement le devin du meurtre. Renversement brutal alors, à partir de « Vraiment ? Eh bien je te somme, moi… » : l'accusé devient accusateur, et c'est à Œdipe de se défendre. Dans deux longues tirades parallèles, chacun fourbit ses arguments, le premier vantant ses mérites passés, le second annonçant les malheurs futurs. Enfin, c'est l'ultime échange : Œdipe exerce son pouvoir en

chassant Tirésias, mais celui-ci part en proférant des menaces et des prédictions.
4 – Dans un premier temps, les deux personnages sont d'accord sur un point : bien qu'aveugle, Tirésias est celui qui sait. D'où le scandale de son refus de parler. Mais, comme on peut l'imaginer, les choses changent à partir du moment où, contraint par Œdipe, le devin profère ses accusations : il n'est plus alors celui qui ne dit pas ce qu'il sait mais celui qui ne sait pas ce qu'il dit ! Quant à sa cécité, elle devient le signe extérieur de son ignorance. Argument aisément retourné par Tirésias : c'est Œdipe qui prétend voir et ne voit rien, qui prétend savoir et ne sait rien.
5 – « Toi qui scrutes tout, ô Tirésias, aussi bien ce qui s'enseigne que ce qui demeure interdit aux lèvres humaines » ; « Je demeure hors de tes atteintes, en moi vit la force du vrai » ; « Je ne suis pas à tes ordres, je suis à ceux de Loxias »...

Arrêt sur lecture 2 (p. 89)

1 – Il s'agit évidemment du dialogue entre Œdipe et Tirésias. Outre la présence de ce dernier, on peut constater que la situation est globalement identique : Tirésias, qui préférerait ne rien dire (« tu vas m'induire à remuer des mots faits pour rester ensevelis en moi ») émet un avis, censé émaner des dieux, qui déplaît au roi. Du coup, celui-ci accuse le devin de mentir par appât du gain, thème insistant : Œdipe déjà traitait Tirésias de « Charlatan dont les yeux sont ouverts au gain », et Corneille comme Voltaire le reprendront à leur compte.
2 – Le Créon d'*Antigone* s'oppose en tout point à celui d'*Œdipe Roi* qui se montre impie (il ne tient pas compte de l'avis des dieux et méprise leurs oracles), emporté, excessif, obstiné, jaloux de son pouvoir... on retrouve, vous l'aurez compris, tous les traits d'Œdipe.
3 – Les trois interventions précédentes du chœur l'ont montré d'abord troublé par les accusations de Tirésias, puis soucieux de modérer le roi dans ses projets à l'égard de Créon, et enfin inquiet d'une querelle qui fragilise encore davantage la cité. Mais ce qui est important c'est que, dans les trois cas, le chœur a rappelé son attachement à Œdipe : « Je ne trouve la moindre preuve qui me force à partir en guerre contre le renom bien assis d'Œdipe » (p. 47); « Œdipe. – En ce cas, sache-le bien, tu veux ma mort, ou mon exil. Le chœur. – Non, [...] que je périsse ici dans les derniers supplices [...] si j'ai telle pensée ! » (p. 66-67); « Ô roi, je te l'ai dit plus d'une fois déjà, je me

montrerais, sache-le, insensé, privé de raison, si je me détachais de toi » (p. 68).

4 – Interrogations oratoires, exclamations, souhaits, maximes... Vous noterez en particulier l'utilisation du présent gnomique (si vous l'ignorez, cherchez le sens de ce mot dans le dictionnaire).

5 – C'est Œdipe qui avait usé de cette formule au début de la pièce : « Je voue le criminel... » (p. 35). Manifestation supplémentaire de l'ironie tragique, ce renversement de situation est typique de la tragédie sophocléenne : l'expression d'Œdipe se retourne contre lui-même. Il convient d'ajouter ceci : le verbe « vouer » a une connotation religieuse, sacrée : en l'utilisant, Œdipe s'identifiait en quelque sorte à un dieu. Ce n'est donc pas un hasard si le chœur la reprend ici à son compte, au moment même où il rappelle la puissance divine.

Arrêt sur lecture 3 (p. 132)

La précision « d'un point de vue strictement théâtral » suggère que l'on fasse abstraction ici du point de vue moral. Il s'agit donc ici d'une réflexion sur la dramaturgie, qui pourrait s'articuler autour de deux axes : la question de la **vraisemblance** et celle de l'**efficacité dramatique**. Il paraît techniquement difficile, voire impossible de représenter sur scène un certain nombre d'événements (une bataille, le surgissement d'un monstre, une intervention divine...). Ce qui était vrai au Vᵉ siècle avant J.-C., ou encore au XVIIᵉ siècle, le demeure dans une large mesure aujourd'hui : ces obstacles tiennent à la nature même du théâtre, qui, disons-le, ne s'accommode guère des effets spéciaux. Quant à la mort d'un personnage, elle suppose – ce qui certes n'est pas impossible – l'acceptation par le spectateur d'une convention toujours un peu problématique (le personnage meurt, pas l'acteur !). Le principe du récit paraît donc plutôt, contrairement à ce que l'on pourrait croire, contribuer à la crédibilité de l'action. D'autre part, il paraît évident que les auteurs classiques n'ont pas toujours perçu cette règle comme une contrainte insupportable, mais plutôt comme un défi technique à relever, et où ils avaient peut-être plus à gagner qu'à perdre. C'était en effet l'occasion pour eux de faire la preuve de leur talent. Mais de surcroît, il n'est pas certain du tout que la narration de l'événement soit moins propre à susciter l'émotion que sa représentation : cette remarque débouche, on le voit, sur une réflexion sur les pouvoirs de la suggestion et de l'imagination. Il est clair en tout cas qu'en France à l'époque classique, le théâtre est avant tout le Verbe…

Œdipe à l'âge classique

<u>*Extrait 1 : Œdipe de Pierre Corneille (p. 156)*</u>

1 – Rhétorique* du discours de Thésée : *a* – La tirade se décompose nettement en deux parties. Dans la première (du début à « … précipite »), Thésée reprend la thèse de la prédestination, tout en suggérant, bien sûr, son désaccord, par divers procédés (questions oratoires, ton scandalisé, termes péjoratifs, etc.). Dans un second temps, il développe sa propre thèse, sa propre conception de la foi, qui inclut, exige même, le libre arbitre. *b* – Les interrogations initiales sont typiquement des questions oratoires, c'est-à-dire de fausses questions, qui prennent à témoin l'interlocuteur et le spectateur, et valent plutôt pour des exclamations. On note d'ailleurs que seule la première phrase se termine par un point d'interrogation, alors que les suivantes sont manifestement sur le même ton. *c* – Il s'agit d'une métonymie, figure qui consiste à désigner une chose par le nom d'une autre chose (comme la métaphore) mais en se fondant sur la relation étroite qui existe *a priori* entre ces deux choses. Cette relation peut être de contenu à contenant (boire un verre), de partie à tout (trois mille têtes de bétail), etc. Ici, le nom de la ville – Delphes – désigne en réalité la Pythie – l'oracle d'Apollon – qui s'y tient. *d* – « Vertueux sans mérite, et vicieux sans crime » ; « et notre volonté n'aime, hait, cherche, évite… », etc. À vous d'en trouver d'autres et de les décrire.

2 – Le premier argument est d'ordre proprement religieux et/ou philosophique : il porte sur la grave et complexe question du libre arbitre. Mais par la suite, Thésée en ajoute un autre, plus trivial et plus politique : l'oracle de Delphes aurait été soudoyé pour donner une réponse mensongère. Dans la tragédie de Sophocle, Œdipe avait déjà glissé incidemment cet argument. Mais celui-ci se trouve considérablement développé ici. Manière d'accuser les représentants des dieux sur terre, autrement dit le clergé, ou du moins un certain clergé. L'allusion est transparente et l'accusation directe. On retrouve là le principe de la double énonciation : Thésée s'adresse à Jocaste, mais Corneille s'adresse aussi au public, et même au roi.

3 – C'est tout le problème du sacrifice chez Corneille. Le sacrifice fait la grandeur du héros, mais la grandeur du héros est la condition du sacrifice ; celui-ci a donc des limites : il ne peut rabaisser le héros. Thésée se trouve donc ici pris à son propre piège : le salut de Dircé (et la hauteur du sacrifice) exigerait qu'il accepte de porter le fardeau d'un crime infâme. Mais ce serait se déshonorer, et perdre, entre autres, l'amour de Dircé. Le même cercle vicieux s'observe dans *Le Cid*.

Extrait 2 : Œdipe *de Voltaire (p. 163)*

1 – On retrouve les accusations de Thésée contre le « clergé » : le prince d'Athènes suggérait que l'oracle pouvait avoir menti par intérêt, et admettait qu'il y avait parfois « des méchants dans les temples » ; Araspe, lui, accuse carrément les prêtres de traîtrise. Mais Araspe va plus loin car il met en cause la religion elle-même, assimilée à une pure et simple superstition, contre laquelle il en appelle – implicitement – à la raison et à l'observation, autrement dit à la science. Et Philoctète ajoute habilement que les prêtres sont pour les rois des rivaux et des ennemis redoutables : manière de jouer les uns contre les autres.

2 – La première partie est une imprécation d'Œdipe, qui proteste contre les dieux et déplore son tragique destin. Dans la seconde, le ton change : Œdipe, dans une sorte de délire, comme en transe, se prépare au châtiment.

3 – La première partie repose sur l'antithèse* vouloir/pouvoir (je voulais mais je ne pouvais pas), la seconde sur l'antithèse voir/ne pas voir (je vois dans les ténèbres).

4 – La principale différence consiste dans l'instrument de la mutilation : Voltaire substitue l'épée aux broches de Jocaste. Outre que les broches pouvaient suggérer symboliquement une culpabilité de Jocaste (or, pour Voltaire, ce sont les dieux et les prêtres qui sont coupables), l'épée est une arme, et cette mutilation s'apparente à un combat, comme un dernier défi : « J'irai de mon supplice épouvanter les ombres. »

5 – Il en va de même de la mort de Jocaste : celle-ci se tue sur scène (la tragédie tend vers le drame, la règle des bienséances n'est plus respectée), et le suicide par l'épée efface la culpabilité que la pendaison accentuait.

Œdipe au XXe siècle

Extrait 3 : La Machine infernale *de Jean Cocteau (p. 181)*

1 – Dans la déchéance comme dans le triomphe, Œdipe reste un être hors du commun, à l'écart du commun des mortels, et fondamentalement gouverné par son *hùbris** : cet aspect était déjà suggéré à la fin de la pièce de Sophocle (« mes maux à moi, il n'est point d'autre mortel qui soit fait pour les porter »), et Cocteau y insiste d'autant plus que, dans son esprit, ce n'est nullement un défaut : c'est ce qui fait la grandeur du personnage.

2 – On peut relever des formules comme : « j'en ai assez de vos devinettes... », « comment ferais-tu rien que pour descendre seul cet escalier, mon pauvre petit ? » ou encore « Crois-tu ! Cette méchante écharpe et cette affreuse broche ! L'avais-je assez prédit ».

3 – L'apparition du fantôme de Jocaste constitue un élément fantastique supplémentaire (il y a déjà eu le fantôme de Laïos au début de la pièce). L'effet spectaculaire produit par ce spectre parlant a pour contrepartie une certaine désacralisation du tragique, qui perd en solennité et en grandeur ce qu'il gagne peut-être en expression et en émotion esthétique. À la sobriété toute classique de Sophocle, s'oppose, dans une certaine mesure, le goût baroque de Cocteau, qui trouvera dans le cinéma à s'exercer pleinement (*Orphée*, *La Belle et la Bête*...).

4 – La pièce s'achève sur un constat d'ignorance. Or, Œdipe et Tirésias, chacun a sa façon, ont prétendu savoir. Œdipe surtout, dont le nom est tout un programme : souvenons-nous qu'*oïda* en grec signifie « je sais ». Est-ce pour autant un constat d'échec ? Ce n'est pas certain. À la prétention moderne au savoir, à la compréhension rationnelle de toutes choses, Cocteau oppose la force poétique du mystère.

<u>*Extrait 5 :* Œdipe sur la route *d'Henry Bauchau (p. 193)*</u>

1 – Littéralement, le héros fait corps avec la falaise. Il y a entre l'homme et la roche, ou si l'on veut entre le sculpteur et la pierre, comme une étreinte physique. C'est aussi que, d'une certaine manière, c'est lui-même (ses épreuves, sa vie passée et à avenir) qu'Œdipe va sculpter : il faut donc qu'il « s'éprouve » au plus près. Enfin, le corps signifie ici symboliquement une certaine forme d'intégrité : Œdipe débarrassé des oripeaux de sa vie passée, doit renaître (l'initiation exige généralement la nudité).

2 – Terre (la roche), eau (la mer, la pluie), air (le vent), feu (l'orage)... les quatre éléments sont présents, dans un tumulte de fin du monde, ou plutôt de commencement du monde. Le travail d'Œdipe apparaît comme un combat titanesque contre, mais aussi avec les éléments déchaînés. La tempête confère à la scène une dimension cosmique.

3 – Plus généralement, Œdipe semble ici un dieu démiurge, véritable créateur du monde, à l'image du sculpteur, et de l'artiste en général.

Théories œdipiennes

Extrait 6 : Philosophie : Œdipe philosophe *de J.-J. Goux (p. 200)*

2 – Une reformulation pertinente de l'idée principale du 4e § devrait mettre l'accent sur le caractère autodidacte du philosophe (à l'image d'Œdipe face à la Sphinx), lequel ne se contente pas de redire une vérité révélée (par un dieu ou par un maître), mais trouve par lui-même, *en lui-même*, sinon la réponse aux problèmes, du moins leur juste énonciation.

Extraits 7 : Psychanalyse : Sigmund Freud (p. 206)

1 – *a* – Nous avons vu que la tragédie de Sophocle postulait, à un degré d'ailleurs difficile à évaluer, la responsabilité d'Œdipe, responsabilité qui s'inscrit parfaitement dans le contexte de la démocratie naissante (voir en particulier les Bilans de la première partie). La psychanalyse, en remettant profondément en question notre conception rationaliste du sujet (conception développée notamment par le philosophe René Descartes au XVIIe siècle), semble bien, à certains égards « dé-responsabiliser » l'individu, en renvoyant ses actes et ses pensées à des déterminations qui lui échappent, puisqu'elles sont inconscientes. En ce sens, le sujet freudien apparaît, quoi qu'on ait pu en dire, comme fondamentalement privé de liberté, ou plus exactement pourvu d'une liberté purement illusoire. *b* – L'assimilation de la mutilation d'Œdipe à une castration symbolique est d'abord justifiée par un élément commun, qui est celui de la blessure, et d'une blessure occasionnée par un instrument tranchant. Il s'agit d'autre part, dans les deux cas, de se priver d'un « sens » essentiel. Plus précisément : la vue a été tout au long de la tragédie de Sophocle un motif récurrent, le symbole en somme de l'*hùbris** d'Œdipe – le clairvoyant qui méprise Tirésias, l'aveugle voué aux dieux. Œdipe est donc puni « par où il a péché », selon l'expression consacrée. Il en va évidemment de même avec la castration, le pénis étant précisément l'instrument – si l'on peut dire – de la transgression de l'interdit.

Extrait 8 : Histoire : « Œdipe sans complexe » de J.-P. Vernant (p. 211)

2 – Dans le premier cas, l'expulsion du *pharmakós* est la réponse qu'a trouvée la cité à un problème ponctuel. La désignation d'un bouc émissaire a pour fonction d'effacer une souillure particulière, occasionnée, par exemple, par un meurtre ou une impiété. Avec les Thargélies, le remède est, si l'on peut dire, préventif : le *pharmakós* est rituellement – c'est-à-dire de manière

à la fois réglée et régulière – chassé et / ou châtié, afin de purifier la cité... jusqu'à la prochaine fois !
3 – Dans sa description de l'ostracisme, J.-P. Vernant insiste sur le fait que cette pratique a lieu en dehors des règles de la vie politique et sociale. Elle est, si l'on ose cette contradiction, une institution officieuse. Tout se passe comme si rien ne devait rester ni paraître au grand jour des circonstances du choix, puis de l'expulsion de l'ostracisé. La procédure semble ne respecter aucun des principes qui président à l'organisation de la cité. Il y a là comme l'expression d'un refoulement, la manifestation occulte d'une crainte irrationnelle et quasi superstitieuse, que la rationalité politique ne saurait prendre officiellement en charge.

Extrait 9 : Anthropologie : La Violence et le Sacré *de René Girard (p. 215)*
Les ressemblances entre l'interprétation de J.-P. Vernant et celle de René Girard sautent aux yeux : il s'agit dans les deux cas de voir en Œdipe la figure archaïque du bouc émissaire. Mais là où l'helléniste établit une relation contextuelle, historique, et voit donc dans le récit du destin d'Œdipe simplement l'écho d'une pratique ancienne et bien connue, René Girard, lui, fait porter son analyse sur la pièce elle-même, afin de justifier plus étroitement et plus précisément cette lecture ; aussi éprouve-t-il le besoin de lever des objections internes à la tragédie. Et en particulier celle-ci : pour qu'Œdipe puisse être considéré comme un bouc émissaire, il faut qu'il soit innocent. Il s'agit donc de démontrer qu'il l'est, ce à quoi s'attache René Girard, en affirmant que, dans *Œdipe Roi*, nous n'assistons pas à la révélation de la vérité, mais au processus par lequel une vérité l'emporte sur une autre.

Glossaire

Aède : poète épique grec, qui récitait et chantait ses œuvres.
Agôn : conflit.
Antithèse : figure d'opposition, de deux termes, idées et/ou réalités.
Catharsis : purge des passions. Fonction morale assignée par Aristote à la tragédie.
Choreute : membre du chœur.
Coryphée : chef et représentant du chœur.

Discours injonctif : discours qui pousse à agir, soit sur le mode de l'ordre, soit sur celui du conseil ou de la prière

Dithyrambe : poème lyrique.

Exodos : sortie du chœur.

Hùbris : démesure, orgueil, excès.

Logorrhée : flot verbal irrépressible, discours ininterrompu et inutile.

Logos : discours rationnel. Conception profane du monde.

Muthos : mythe. Conception sacrée du monde.

Mythe étiologique . du grec *aitia* : la cause ; l'étiologie est l'étude des origines, des causes premières. Un mythe étiologique est un mythe qui raconte la création d'un être ou d'une réalité quelconque, le plus souvent par un dieu.

Orchestra : espace circulaire situé au pied du *theatron**, où se tiennent les acteurs.

Parabole : fable allégorique. Récit à dimension symbolique, chargée de dispenser un enseignement moral.

Paratexte : ce qui précède, accompagne et suit le texte proprement dit, soit : les titres, sous-titres, préfaces, avertissements, dédicaces, notes, commentaires, postfaces, etc.

Parodos : couloir traversant le *theatron** et permettant aux choreutes* de venir sur l'*orchestra** ; moment de l'entrée du chœur dans la tragédie.

Pathétique : ton destiné à émouvoir, notamment par l'expression de la souffrance.

Péplum : vêtement porté dans l'Antiquité. Par extension, le terme désigne, assez péjorativement, les films historiques à grand spectacle dont l'action se déroule dans une Antiquité très approximativement reconstituée.

Polis : cité.

Psalmodier : chanter des psaumes ; réciter en chantant, à la manière de chants religieux.

Règle des trois unités : dès les années 1630, les Académies, qui se réclament d'Aristote, fixent pour le théâtre classique français un certain nombre de règles dont la fameuse règle des trois unités : l'unité de temps exige que le temps de l'action tende à coïncider au maximum avec le temps de la représentation, et, en tout état de cause, ne dépasse pas les vingt-quatre heures. L'unité de lieu impose que l'action se déroule en un seul endroit. Enfin, selon l'unité d'action, la pièce ne doit comporter qu'une seule et unique intrigue.

Rhétorique : art de convaincre par le langage, ensemble des techniques

oratoires – recherche du sujet et des arguments, composition du discours, choix des figures de style, utilisation des gestes et des intonations de la voix.
Skênè : baraque en bois située derrière l'*orchestra**, servant entre autres à figurer un embryon de décor.
Sophiste : les sophistes grecs étaient des philosophes rhétoriciens, qui enseignaient l'art d'argumenter toute thèse par les artifices du discours.
Sophrosynè : mesure, modération.
Stasimon (pl. : *stasima*) : intervention lyrique du chœur.
Theatron : hémicycle où sont disposés les gradins pour les spectateurs dans le théâtre grec.
Thymêlè : autel dédié à Dionysos, placé au centre de l'*orchestra**.
Tragi-comédie : genre théâtral en vogue dans la première moitié du XVIIe siècle, qui mélange tragédie et comédie. Tragédie qui finit bien.

Bibliographie

Ouvrages consacrés à Œdipe

Colette Astier, *Le Mythe d'Œdipe,* Armand Colin, 1974.
Christian Biet, *Œdipe en monarchie*, Klincksieck, 1994. *Œdipe*, sous la dir. de, Autrement, coll. « Figures mythiques », 1999.
Marie Delcourt, *Œdipe ou la légende du conquérant*, Paris, Droz, 1944.
Jean-Joseph Goux, *Œdipe philosophe*, Aubier, 1990.
André Green, *Un œil en trop*, éd. de Minuit, 1969-1992.
Ernest Jones, *Hamlet et Œdipe*, Gallimard, coll. « Tel », 1967-1980.
Jacques Scherer, *Dramaturgies d'Œdipe*, P.U.F., 1987.
Jean-Pierre Vernant et Pierre Vidal-Naquet, *Œdipe et ses mythes,* éd. Complexe, 1994.

Autres ouvrages cités

Aristote, *La Poétique* (vers 330 av. J.-C.), Le Livre de Poche, 1990.
Henry Bauchau, *Les deux Antigone. Œdipe sur la route*, Actes sud, 1990.
Albert Camus, « Sur l'avenir de la tragédie » in *Théâtre, récits, nouvelles,* Gallimard, coll. « Bibliothèque de la Pléiade », 1962.
Jean Cocteau, *La Machine infernale*, Le Livre de Poche.

Pierre Corneille, *Le Cid*, Gallimard, coll. « La bibliothèque Gallimard », 1998. *Œdipe*, Gallimard, coll. « Bibliothèque de la Pléiade ».
Mircea Eliade, *Aspects du mythe*, Gallimard, coll. « Folio essais », 1963-1988.
Euripide, *Électre* in *Tragédies complètes II*, Gallimard, coll. « Folio classique », 1962.
Sigmund Freud, *La Naissance de la psychanalyse*, trad. Anne Berman, P.U.F., 1996. *L'Interprétation des rêves* (1900), trad. I. Mayerson, P.U.F, 1996. *Essais de psychanalyse appliquée*, trad. M. Bonaparte et E. Marty, Gallimard, coll. « Les Essais », 1933.
René Girard, *La Violence et le Sacré*, Grasset, 1972.
Paul Demond et Anne Lebeu, *Introduction au théâtre grec antique*, Le Livre de Poche, 1996.
Claude Lévi-Strauss, *Anthropologie structurale*, Plon, 1958.
Friedrich Nietzsche, *La Naissance de la tragédie* (1871), Gallimard, coll. « Folio essais », 1989.
Pier Paolo Pasolini, extrait de *Edipo Re* (1967), *L'Avant-scène du cinéma*, n° 97, novembre 1969.
Jean Racine, *Phèdre*, Gallimard, coll. « La bibliothèque Gallimard », 1999.
Sophocle, *Électre et Antigone*, in *Tragédies*, Gallimard, coll. « Folio classique », 1973.
Voltaire, *Œdipe*, in Gallimard, coll. « Bibliothèque de La Pléiade ».

TABLE DES MATIÈRES

Dans la même collection

Collège

Homère, Virgile, Ovide - **L'Antiquité** (textes choisis) (16)
Marcel Aymé - **Les contes du chat perché** (contes choisis) (55)
Robert Bober - **Quoi de neuf sur la guerre?** (56)
Évelyne Brisou-Pellen - **Le fantôme de maître Guillemin** (18)
Pierre Corneille - **Le Cid** (7)
Jean-Louis Curtis, Harry Harrison, Kit Reed - **3 nouvelles de l'an 2000** (43)
Didier Daeninckx - **Meurtres pour mémoire** (35)
Alphonse Daudet - **Lettres de mon moulin** (42)
Régine Detambel - **Les contes d'Apothicaire** (2)
François Dimberton, Dominique Hé - **Coup de théâtre sur le Nil** (41)
Alexandre Dumas - **La femme au collier de velours** (57)
Georges Feydeau - **Feu la mère de Madame** (47)
Eugène Labiche - **Un chapeau de paille d'Italie** (17)
Jean de La Fontaine - **Fables** (choix de fables) (52)
Guy de Maupassant - **13 histoires vraies** (44)
Molière - **Le bourgeois gentilhomme** (33)
Molière - **Les femmes savantes** (34)
Molière - **Les fourberies de Scapin** (4)
Molière - **Le médecin malgré lui** (3)
James Morrow - **Cité de vérité** (6)
Charles Perrault - **Histoires ou contes du temps passé** (30)
Marco Polo - **Le devisement du monde** (textes choisis) (1)

Jules Romains - **Knock** (5)
George Sand - **La petite Fadette** (51)
Robert Louis Stevenson - **L'île au trésor** (32)
Jonathan Swift - **Voyage à Lilliput** (31)
Voltaire - **Zadig** (8)

Lycée

Guillaume Apollinaire - **Alcools** (21)
Honoré de Balzac - **Ferragus** (10)
Honoré de Balzac - **Le père Goriot** (59)
Jules Barbey d'Aurevilly - **Le chevalier des Touches** (22)
Charles Baudelaire - **Les Fleurs du Mal** (38)
Charles Baudelaire - **Le Spleen de Paris** (64)
Beaumarchais - **Le mariage de Figaro** (28)
Béroul - **Tristan et Yseut (et le mythe)** (63)
Pierre Corneille - **L'illusion comique** (45)
Gustave Flaubert - **Un cœur simple** (58)
Théophile Gautier - **Contes fantastiques** (36)
André Gide - **La porte étroite** (50)
Nicolas Gogol - **Nouvelles de Pétersbourg** (14)
Victor Hugo - **Les châtiments** (13)
Victor Hugo - **Le dernier jour d'un condamné** (46)
Eugène Ionesco - **La cantatrice chauve** (11)
Sébastien Japrisot - **Piège pour Cendrillon** (39)
Alfred Jarry - **Ubu roi** (60)
Thierry Jonquet - **La bête et la belle** (12)
Marivaux - **Le jeu de l'amour et du hasard** (9)
Roger Martin du Gard - **Le cahier gris** (53)

Guy de Maupassant - **Une vie** (26)
Guy de Maupassant - **Bel-Ami** (27)
Molière - **Le Tartuffe** (54)
Molière - **Le Misanthrope** (61)
Montesquieu - **Lettres persanes** (lettres choisies) (37)
Raymond Queneau - **Les fleurs bleues** (29)
Raymond Queneau - **Loin de Rueil** (40)
Jean Racine - **Britannicus** (20)
Jean Racine - **Phèdre** (25)
Jean Renoir - **La règle du jeu** (15)
Georges Simenon - **La vérité sur Bébé Donge** (23)
Stendhal - **Le rouge et le noir** (24)
Voltaire - **Candide** (48)
Émile Zola - **La curée** (19)
Émile Zola - **Au Bonheur des Dames** (49)

Pour plus d'informations :
http://www.gallimard.fr
ou
La bibliothèque Gallimard
5, rue Sébastien-Bottin – 75328 Paris cedex 07

Cet ouvrage a été composé
et mis en pages par Dominique Guillaumin, Paris,
et achevé d'imprimer
sur les presses de l'imprimerie Firmin-Didot
en septembre 2000.
Imprimé en France.

Dépôt légal : septembre 2000
N° d'imprimeur : 51948
ISBN 2-07-041497-3

96172